Einaudi Ragazzi

Storie e rime

14

Collana diretta da Orietta Fatucci

ISBN 88-7926-113-4
www.edizioniel.com

Gianni Rodari

Favole al telefono

Illustrazioni di Francesco Altan

Einaudi Ragazzi

A Paoletta Rodari
e ai suoi amici di tutti i colori

Favole al telefono

C'era una volta...

...il ragionier Bianchi, di Varese. Era un rappresentante di commercio e sei giorni su sette girava l'Italia intera, a Est, a Ovest, a Sud, a Nord e in mezzo, vendendo medicinali. La domenica tornava a casa sua, e il lunedí mattina ripartiva. Ma prima che partisse la sua bambina gli diceva: – Mi raccomando, papà: tutte le sere una storia.

Perché quella bambina non poteva dormire senza una storia, e la mamma, quelle che sapeva, gliele aveva già raccontate tutte anche tre volte. Cosí ogni sera, dovunque si trovasse, alle nove in punto il ragionier Bianchi chiamava al telefono Varese e raccontava una storia alla sua bambina. Questo libro contiene appunto le storie del ragionier Bianchi. Vedrete che sono tutte un po' corte: per forza, il ragioniere pagava il telefono di tasca sua, non poteva mica fare telefonate troppo lunghe. Solo qualche volta, se aveva concluso buoni affari, si permetteva qualche «unità» in più. Mi hanno detto che quando il signor Bianchi chiamava Varese le signorine del centralino sospendevano tutte le telefonate per ascoltare le sue storie. Sfido: alcune sono proprio belline.

Il cacciatore sfortunato

– Prendi il fucile, Giuseppe, prendi il fucile e vai a caccia, – disse una mattina al suo figliolo quella donna. – Domani tua sorella si sposa e vuol mangiare polenta e lepre.

Giuseppe prese il fucile e andò a caccia. Vide subito una lepre che balzava da una siepe e correva in un campo. Puntò il fucile, prese la mira e premette il grilletto. Ma il fucile disse: *Pum!*, proprio con voce umana, e invece di sparar fuori la pallottola la fece cadere per terra.

Giuseppe la raccattò e la guardava meravigliato. Poi osservò attentamente il fucile, e pareva proprio lo stesso di sempre, ma intanto invece di sparare aveva detto: *Pum!*, con una vocetta allegra e fresca. Giuseppe scrutò anche dentro la canna, ma com'era possibile, andiamo, che ci fosse nascosto qualcuno? Difatti dentro la canna non c'era niente e nessuno.

– E la mamma che vuole la lepre. E mia

sorella che vuol mangiarla con la polenta...

In quel momento la lepre di prima ripassò davanti a Giuseppe, ma stavolta aveva un velo bianco in testa, e dei fiori d'arancio sul velo, e teneva gli occhi bassi, e camminava a passettini passettini.

– Toh, – disse Giuseppe, – anche la lepre va a sposarsi. Pazienza, tirerò a un fagiano.

Un po' piú in là nel bosco, difatti, vide un fagiano che passeggiava sul sentiero, per nulla spaventato, come il primo giorno della caccia, quando i fagiani non sanno ancora che cosa sia un fucile.

Giuseppe prese la mira, tirò il grilletto, e il fucile fece: *Pam!*, disse: *Pam! Pam!*, due volte, come avrebbe fatto un bambino col suo fucile di legno. La cartuccia cadde in terra e spaventò certe formiche rosse, che corsero a rifugiarsi sotto un pino.

– Ma benone, – disse Giuseppe che cominciava ad arrabbiarsi, – la mamma sarà contenta davvero se torno col carniere vuoto.

Il fagiano, che a sentire quel *pam*, *pam*, si era tuffato nel folto, ricomparve sul sentiero, e stavolta lo seguivano i suoi piccoli, in fila, con una gran voglia di ridere addosso, e dietro a tutti camminava la madre, fiera e contenta come se le avessero dato il primo premio.

– Ah, tu sei contenta, tu, – borbottò Giuseppe. – Tu ti sei già sposata da un pezzo. E adesso a che cosa tiro?

Ricaricò il fucile con gran cura e si guardò intorno. C'era soltanto un merlo su un ramo, e fischiava come per dire: «Sparami, sparami».

E Giuseppe sparò. Ma il fucile disse: *Bang!*, come i bambini quando leggono i fumetti. E aggiunse un rumorino che pareva una risatina. Il merlo fischiò piú allegramente di prima, come per dire: «Hai sparato, hai sentito, hai la barba lunga un dito».

– Me l'aspettavo, – disse Giuseppe. – Ma si vede che oggi c'è lo sciopero dei fucili.

– Hai fatto buona caccia, Giuseppe? – gli domandò la mamma, al ritorno.

– Sí, mamma. Ho preso tre arrabbiature belle grasse. Chissà come saranno buone, con la polenta.

Il palazzo di gelato

Una volta, a Bologna, fecero un palazzo di gelato proprio sulla Piazza Maggiore, e i bambini venivano di lontano a dargli una leccatina.

Il tetto era di panna montata, il fumo dei comignoli di zucchero filato, i comignoli di frutta candita. Tutto il resto era di gelato: le porte di gelato, i muri di gelato, i mobili di gelato.

Un bambino piccolissimo si era attaccato a un tavolo e gli leccò le zampe una per una, fin che il tavolo gli crollò addosso con tutti i piatti, e i piatti erano di gelato al cioccolato, il piú buono.

Una guardia del Comune, a un certo punto, si accorse che una finestra si scioglieva. I vetri erano di gelato alla fragola, e si squagliavano in rivoletti rosa.

– Presto, – gridò la guardia, – piú presto ancora!

E giú tutti a leccare piú presto, per non

lasciar andare perduta una sola goccia di quel capolavoro.

– Una poltrona! – implorava una vecchiettina, che non riusciva a farsi largo tra la folla, – una poltrona per una povera vecchia. Chi me la porta? Coi braccioli, se è possibile.

Un generoso pompiere corse a prenderle una poltrona di gelato alla crema e pistacchio, e la povera vecchietta, tutta beata, cominciò a leccarla proprio dai braccioli.

Fu un gran giorno, quello, e per ordine dei dottori nessuno ebbe il mal di pancia.

Ancora adesso, quando i bambini chiedono un altro gelato, i genitori sospirano: – Eh già, per te ce ne vorrebbe un palazzo intero, come quello di Bologna.

La passeggiata di un distratto

– Mamma, vado a fare una passeggiata.
– Va' pure, Giovanni, ma sta' attento quando attraversi la strada.
– Va bene, mamma. Ciao, mamma.
– Sei sempre tanto distratto.
– Sí, mamma. Ciao, mamma.
Giovannino esce allegramente e per il primo tratto di strada fa bene attenzione. Ogni tanto si ferma e si tocca.
– Ci sono tutto? Sí, – e ride da solo.
È cosí contento di stare attento che si mette a saltellare come un passero, ma poi s'incanta a guardare le vetrine, le macchine, le nuvole, e per forza cominciano i guai.
Un signore, molto gentilmente, lo rimprovera:
– Ma che distratto, sei. Vedi? Hai già perso una mano.
– Uh, è proprio vero. Ma che distratto, sono.
Si mette a cercare la mano e invece trova

un barattolo vuoto. Sarà proprio vuoto? Vediamo. E cosa c'era dentro prima che fosse vuoto. Non sarà mica stato sempre vuoto fin dal primo giorno...

Giovanni si dimentica di cercare la mano, poi si dimentica anche del barattolo, perché ha visto un cane zoppo, ed ecco per raggiungere il cane zoppo prima che volti l'angolo perde tutto un braccio. Ma non se ne accorge nemmeno, e continua a correre.

Una buona donna lo chiama: – Giovanni, Giovanni, il tuo braccio!

Macché, non sente.

– Pazienza, – dice la buona donna. – Glielo porterò alla sua mamma.

E va a casa della mamma di Giovanni.

– Signora, ho qui il braccio del suo figliolo.

– Oh, quel distratto. Io non so piú cosa fare e cosa dire.

– Eh, si sa, i bambini sono tutti cosí.

Dopo un po' arriva un'altra brava donna.

– Signora, ho trovato un piede. Non sarà mica del suo Giovanni?

– Ma sí che è suo, lo riconosco dalla scarpa col buco. Oh, che figlio distratto mi è toccato. Non so piú cosa fare e cosa dire.

– Eh, si sa, i bambini sono tutti cosí.

Dopo un altro po' arriva una vecchietta, poi il garzone del fornaio, poi un tranviere, e perfino una maestra in pensione, e tutti portano qualche pezzetto di Giovanni: una gamba, un orecchio, il naso.

– Ma ci può essere un ragazzo piú distratto del mio?

– Eh, signora, i bambini sono tutti cosí.

Finalmente arriva Giovanni, saltellando su una gamba sola, senza piú orecchie né braccia, ma allegro come sempre, allegro come un passero, e la sua mamma scuote la testa, lo rimette a posto e gli dà un bacio.

– Manca niente, mamma? Sono stato bravo, mamma?

– Sí, Giovanni, sei stato proprio bravo.

Il palazzo da rompere

Una volta, a Busto Arsizio, la gente era preoccupata perché i bambini rompevano tutto. Non parliamo delle suole delle scarpe, dei pantaloni e delle cartelle scolastiche: rompevano i vetri giocando alla palla, rompevano i piatti a tavola e i bicchieri al bar, e non rompevano i muri solo perché non avevano martelli a disposizione.

I genitori non sapevano piú cosa fare e cosa dire e si rivolsero al sindaco.

– Mettiamo una multa? – propose il sindaco.

– Grazie tante, – esclamarono i genitori, – e poi la paghiamo con i cocci.

Per fortuna da quelle parti ci sono molti ragionieri. Ce n'è uno ogni tre persone e tutti ragionano benissimo. Meglio di tutti ragionava il ragionier Gamberoni, un vecchio signore che aveva molti nipoti e quindi in fatto di cocci aveva una vasta esperienza. Egli prese carta e matita e fece il conto dei danni che i bambini di Busto Arsizio cagionavano fracassando tanta bella e buona roba a quel modo. Risultò una somma spaventevole: millanta tamanta quattordici e trentatre.

– Con la metà di questa somma, – dimostrò il ragionier Gamberoni, – possiamo costruire un palazzo da rompere e obbligare i bambini a farlo a pezzi: se non guariscono con questo sistema non guariscono piú.

La proposta fu accettata, il palazzo fu costruito in quattro e quattro otto e due dieci. Era alto sette piani, aveva novantanove stanze, ogni stanza era piena di mobili e ogni mobile zeppo di stoviglie e soprammobili, senza contare gli specchi e i rubinetti. Il giorno dell'inaugurazione a tutti i bambini venne consegnato un martello e a un segnale del sindaco le porte del palazzo da rompere furono spalancate.

Peccato che la televisione non sia arrivata in tempo per trasmettere lo spettacolo. Chi l'ha visto con i suoi occhi e sentito con le sue orecchie assicura che pareva – mai non sia! – lo scoppio della terza guerra mondiale. I bambini passavano di stanza in stanza come l'esercito di Attila e fracassavano a martellate quanto incontravano sul loro cammino. I colpi si udivano in tutta la

Lombardia e in mezza Svizzera. Bambini alti come la coda di un gatto si erano attaccati ad armadi grossi come incrociatori e li demolirono scrupolosamente fino a lasciare una montagna di trucioli. Infanti dell'asilo, belli e graziosi nei loro grembiulini rosa e celesti, pestavano diligentemente i servizi da caffè riducendoli in polvere finissima, con la quale si incipriavano il viso. Alla fine del primo giorno non era rimasto un bicchiere sano. Alla fine del secondo giorno scarseggiavano le sedie. Il terzo giorno i bambini affrontarono i muri, cominciando dall'ultimo piano, ma quando furono arrivati al quarto, stanchi morti e coperti di polvere come i soldati di Napoleone nel deserto, piantarono baracca e burattini, tornarono a casa barcollando e andarono a letto senza cena. Ormai si erano davvero sfogati e non provavano piú gusto a rompere nulla, di colpo erano diventati delicati e leggeri come farfalle e avreste potuto farli giocare al calcio su un campo di bicchieri di cristallo che non ne avrebbero scheggiato uno solo.

Il ragionier Gamberoni fece i conti e dimostrò che la città di Busto Arsizio aveva realizzato un risparmio di due stramilioni e sette centimetri.

Quello che restava in piedi del palazzo da rompere, il Comune lasciò liberi i cittadini di farne quel che volevano. Allora si videro certi signori con cartella di cuoio e occhiali a lenti bifocali – magistrati, notai, consiglieri delegati – armarsi di martello e correre a demolire una parete o a smantellare una scala, picchiando tanto di gusto che ad ogni colpo si sentivano ringiovanire.

– Piuttosto che litigare con la moglie, – dicevano allegramente, – piuttosto di spaccare i portacenere e i piatti del servizio buono, regalo della zia Mirina...

E giú martellate.

Al ragionier Gamberoni, in segno di gratitudine, la città di Busto Arsizio decretò una medaglia con un buco d'argento.

La donnina che contava gli starnuti

A Gavirate, una volta, c'era una donnina che passava le giornate a contare gli starnuti della gente, poi riferiva alle amiche i risultati dei suoi calcoli e tutte insieme ci facevano sopra grandi chiacchiere.

– Il farmacista ne ha fatti sette, – raccontava la donnina.

– Possibile!

– Giuro, mi cascasse il naso se non dico la verità, li ha fatti cinque minuti prima di mezzogiorno.

Chiacchieravano, chiacchieravano e in conclusione dicevano che il farmacista metteva l'acqua nell'olio di ricino.

– Il parroco ne ha fatti quattordici, – raccontava la donnina, rossa per l'emozione.

– Non ti sarai sbagliata?

– Mi cascasse il naso se ne ha fatto uno di meno.

– Ma dove andremo a finire!

Chiacchieravano, chiacchieravano e in

conclusione dicevano che il parroco metteva troppo olio nell'insalata.

Una volta la donnina e le sue amiche si misero tutte insieme, ed erano piú di sette, sotto le finestre del signor Delio a spiare. Ma il signor Delio non starnutiva per nulla, perché non fiutava tabacco e non aveva il raffreddore.

– Neanche uno starnuto, – disse la donnina. – Qui gatta ci cova.

– Sicuro, – dissero le sue amiche.

Il signor Delio le sentí, mise una bella manciata di pepe nello spruzzatore del moschicida e senza farsi scorgere lo soffiò addosso a quelle pettegole, che se ne stavano rimpiattate sotto il davanzale.

– Etcí! – fece la donnina.

– Etcí! Etcí! – fecero le sue amiche. E giú tutte insieme a fare uno starnuto dopo l'altro.

– Ne ho fatti di piú io, – disse la donnina.

– Di piú noi, – dissero le sue amiche. Si presero per i capelli, se le diedero per diritto e per traverso, si strapparono i vestiti e persero un dente ciascuna.

Dopo quella volta la donnina non parlò piú con le sue amiche, comprò un libretto e una matita e andava in giro tutta sola soletta, e per ogni starnuto che sentiva faceva una crocetta.

Quando morí trovarono quel libretto pieno di croci e dicevano: – Guardate, deve aver segnato tutte le sue buone azioni. Ma quante ne ha fatte! Se non va in Paradiso lei non ci va proprio nessuno.

Il Paese senza punta

Giovannino Perdigiorno era un grande viaggiatore. Viaggia e viaggia, una volta capitò in un paese dove gli spigoli delle case erano rotondi, e i tetti non finivano a punta ma con una gobba dolcissima. Lungo la strada correva una siepe di rose e a Giovannino venne lí per lí l'idea di infilarsene una all'occhiello. Mentre coglieva la rosa faceva molta attenzione a non pungersi con le spine, ma si accorse subito che le spine non pungevano mica, non avevano punta e parevano di gomma, e facevano il solletico alla mano.

– Guarda, guarda, – disse Giovannino ad alta voce.

Di dietro la siepe si affacciò una guardia municipale, sorridendo.

– Non lo sapeva che è vietato cogliere le rose?

– Mi dispiace, non ci ho pensato.

– Allora pagherà soltanto mezza multa, –

disse la guardia, che con quel sorriso avrebbe potuto benissimo essere l'omino di burro che portava Pinocchio al Paese dei Balocchi. Giovannino osservò che la guardia scriveva la multa con una matita senza punta, e gli scappò di dire:

– Scusi, mi fa vedere la sua sciabola?

– Volentieri, – disse la guardia. E naturalmente nemmeno la sciabola aveva la punta.

– Ma che paese è questo? – domandò Giovannino.

– Il Paese senza punta, – rispose la guardia, con tanta gentilezza che le sue parole si dovrebbero scrivere tutte con la lettera maiuscola.

– E per i chiodi come fate?

– Li abbiamo aboliti da un pezzo, facciamo tutto con la colla. E adesso, per favore, mi dia due schiaffi.

Giovannino spalancò la bocca come se dovesse inghiottire una torta intera.

– Per carità, non voglio mica finire in prigione per oltraggio a pubblico ufficiale. I due schiaffi, semmai, dovrei riceverli, non darli.

– Ma qui usa cosí, – spiegò gentilmente la guardia, – per una multa intera quattro schiaffi, per mezza multa due soli.

– Alla guardia?

– Alla guardia.
– Ma è ingiusto, è terribile.
– Certo che è ingiusto, certo che è terribile, – disse la guardia. – La cosa è tanto odiosa che la gente, per non essere costretta a schiaffeggiare dei poveretti senza colpa, si guarda bene dal fare niente contro la legge. Su, mi dia quei due schiaffi, e un'altra volta stia piú attento.
– Ma io non le voglio dare nemmeno un buffetto sulla guancia: le farò una carezza, invece.
– Quand'è cosí, – concluse la guardia, – dovrò riaccompagnarla alla frontiera.
E Giovannino, umiliatissimo, fu costretto ad abbandonare il Paese senza punta. Ma ancor oggi sogna di poterci tornare, per viverci nel piú gentile dei modi, in una bella casetta col tetto senza punta.

Il paese con l'esse davanti

Giovannino Perdigiorno era un grande viaggiatore. Viaggia e viaggia, capitò nel paese con l'esse davanti.

– Ma che razza di paese è? – domandò a un cittadino che prendeva il fresco sotto un albero.

Il cittadino, per tutta risposta, cavò di tasca un temperino e lo mostrò bene aperto sul palmo della mano.

– Vede questo?

– È un temperino.

– Tutto sbagliato. Invece è uno «stemperino», cioè un temperino con l'esse davanti. Serve a far ricrescere le matite, quando sono consumate, ed è molto utile nelle scuole.

– Magnifico, – disse Giovannino. – E poi?

– Poi abbiamo lo «staccapanni».

– Vorrà dire l'attaccapanni.

– L'attaccapanni serve a ben poco, se non avete il cappotto da attaccarci. Col nostro «staccapanni» è tutto diverso. Lí non bisogna attaccarci niente, c'è già tutto attaccato. Se avete bisogno di un cappotto andate lí e lo staccate. Chi ha bisogno di una giacca, non deve mica andare a comprarla: passa dallo staccapanni e la stacca. C'è lo staccapanni d'estate e quello d'inverno, quello per uomo e quello per signora. Cosí si risparmiano tanti soldi.

– Una vera bellezza. E poi?

– Poi abbiamo la macchina «sfotografica», che invece di fare le fotografie fa le caricature, cosí si ride. Poi abbiamo lo «scannone».

– Brr, che paura.

– Tutt'altro. Lo «scannone» è il contrario del cannone, e serve per disfare la guerra.

– E come funziona?

– È facilissimo, può adoperarlo anche un bambino. Se c'è la guerra, suoniamo la stromba, spariamo lo scannone e la guerra è subito disfatta.

Che meraviglia il paese con l'esse davanti.

Gli uomini di burro

Giovannino Perdigiorno, gran viaggiatore e famoso esploratore, capitò una volta nel paese degli uomini di burro. A stare al sole si squagliavano, dovevano vivere sempre al fresco, e abitavano in una città dove al posto delle case c'erano tanti frigoriferi. Giovannino passava per le strade e li vedeva affacciati ai finestrini dei loro frigoriferi, con una borsa di ghiaccio in testa. Sullo sportello di ogni frigorifero c'era un telefono per parlare con l'inquilino.

– Pronto.

– Pronto.

– Chi parla?

– Sono il re degli uomini di burro. Tutta panna di prima qualità. Latte di mucca svizzera. Ha guardato bene il mio frigorifero?

– Perbacco, è d'oro massiccio. Ma non esce mai di lí?

– D'inverno, se fa abbastanza freddo, in un'automobile di ghiaccio.
– E se per caso il sole sbuca d'improvviso dalle nuvole mentre la Vostra Maestà fa la sua passeggiatina?
– Non può, non è permesso. Lo farei mettere in prigione dai miei soldati.
– Bum, – disse Giovannino. E se ne andò in un altro paese.

Alice Cascherina

Questa è la storia di Alice Cascherina, che cascava sempre e dappertutto.

Il nonno la cercava per portarla ai giardini: – Alice! Dove sei, Alice?

– Sono qui, nonno.

– Dove, qui?

– Nella sveglia.

Sí, aveva aperto lo sportello della sveglia per curiosare un po', ed era finita tra gli ingranaggi e le molle, ed ora le toccava di saltare continuamente da un punto all'altro per non essere travolta da tutti quei meccanismi che scattavano facendo tic-tac.

Un'altra volta il nonno la cercava per darle la merenda: – Alice! Dove sei, Alice?

– Sono qui, nonno.

– Dove, qui?

– Ma proprio qui, nella bottiglia. Avevo sete, ci sono cascata dentro.

Ed eccola là che nuotava affannosamente per tenersi a galla. Fortuna che l'estate pri-

ma, a Sperlonga, aveva imparato a fare la rana.

– Aspetta che ti ripesco.

Il nonno calò una cordicina dentro la bottiglia, Alice vi si aggrappò e vi si arrampicò con destrezza. Era brava in ginnastica.

Un'altra volta ancora Alice era scomparsa. La cercava il nonno, la cercava la nonna, la cercava una vicina che veniva sempre a leggere il giornale del nonno per risparmiare quaranta lire.

– Guai a noi se non la troviamo prima che tornino dal lavoro i suoi genitori, – mormorava la nonna, spaventata.

– Alice! Alice! Dove sei, Alice?

Stavolta non rispondeva. Non poteva rispondere. Nel curiosare in cucina era caduta nel cassetto delle tovaglie e dei tovaglioli e ci si era addormentata. Qualcuno aveva chiuso il cassetto senza badare a lei. Quando si svegliò, Alice si trovò al buio, ma non ebbe paura: una volta era caduta in un rubinetto, e là dentro sí che faceva buio.

«Dovranno pur preparare la tavola per la cena, – rifletteva Alice. – E allora apriranno il cassetto».

Invece nessuno pensava alla cena, proprio perché non si trovava Alice. I suoi genitori erano tornati dal lavoro e sgridavano i nonni: – Ecco come la tenete d'occhio!

– I nostri figli non cascavano dentro i rubinetti, – protestavano i nonni, – ai nostri tempi cascavano soltanto dal letto e si facevano qualche bernoccolo in testa.

Finalmente Alice si stancò di aspettare. Scavò tra le tovaglie, trovò il fondo del cassetto e cominciò a batterci sopra con un piede.

Tum, *tum*, *tum*.

– Zitti tutti, – disse il babbo, – sento battere da qualche parte.

Tum, *tum*, *tum*, chiamava Alice.

Che abbracci, che baci quando la ritrovarono. E Alice ne approfittò subito per cascare nel taschino della giacca di papà e quando la tirarono fuori aveva fatto in tempo a impiastricciarsi tutta la faccia giocando con la penna a sfera.

La strada di cioccolato

Tre fratellini di Barletta una volta, camminando per la campagna, trovarono una strada liscia liscia e tutta marrone.

– Che sarà? – disse il primo.

– Legno non è, – disse il secondo.

– Non è carbone, – disse il terzo.

Per saperne di piú si inginocchiarono tutti e tre e diedero una leccatina.

Era cioccolato, era una strada di cioccolato. Cominciarono a mangiarne un pezzetto, poi un altro pezzetto, venne la sera e i tre fratellini erano ancora lí che mangiavano la strada di cioccolato, fin che non ce ne fu piú neanche un quadratino. Non c'era piú né il cioccolato né la strada.

– Dove siamo? – domandò il primo.

– Non siamo a Bari, – disse il secondo.

– Non siamo a Molfetta, – disse il terzo.

Non sapevano proprio come fare. Per fortuna ecco arrivare dai campi un contadino col suo carretto.

– Vi porto a casa io, – disse il contadino. E li portò fino a Barletta, fin sulla porta di casa. Nello smontare dal carretto si accorsero che era fatto tutto di biscotto. Senza dire né uno né due cominciarono a mangiarselo, e non lasciarono né le ruote né le stanghe.

Tre fratellini cosí fortunati, a Barletta, non c'erano mai stati prima e chissà quando ci saranno un'altra volta.

A inventare i numeri

– Inventiamo dei numeri?

– Inventiamoli, comincio io. Quasi uno, quasi due, quasi tre, quasi quattro, quasi cinque, quasi sei.

– È troppo poco. Senti questi: uno stramilione di biliardoni, un ottone di millantoni, un meravigliardo e un meraviglione.

– Io allora inventerò una tabellina:

tre per uno Trento e Belluno
tre per due bistecca di bue
tre per tre latte e caffè
tre per quattro cioccolato
tre per cinque malelingue
tre per sei patrizi e plebei
tre per sette torta a fette
tre per otto piselli e risotto
tre per nove scarpe nuove
tre per dieci pasta e ceci.

– Quanto costa questa pasta?

– Due tirate d'orecchi.

– Quanto c'è da qui a Milano?

– Mille chilometri nuovi, un chilometro usato e sette cioccolatini.

– Quanto pesa una lacrima?

– Secondo: la lacrima di un bambino capriccioso pesa meno del vento, quella di un bambino affamato pesa piú di tutta la terra.

– Quanto è lunga questa favola?

– Troppo.

– Allora inventiamo in fretta altri numeri per finire. Li dico io, alla maniera di Modena: unci dunci trinci, quara quarinci, miri miminci, un fan dès.

– E io li dico alla maniera di Roma: unzi donzi trenzi, quale qualinzi, mele melinzi, riffe raffe e dieci.

Brif, bruf, braf

Due bambini, nella pace del cortile, giocavano a inventare una lingua speciale per poter parlare tra loro senza far capire nulla agli altri.

– Brif, braf, – disse il primo.

– Braf, brof, – rispose il secondo. E scoppiarono a ridere.

Su un balcone del primo piano c'era un vecchio buon signore a leggere il giornale, e affacciata alla finestra dirimpetto c'era una vecchia signora né buona né cattiva.

– Come sono sciocchi quei bambini, – disse la signora.

Ma il buon signore non era d'accordo: – Io non trovo.

– Non mi dirà che ha capito quello che hanno detto.

– E invece ho capito tutto. Il primo ha detto: che bella giornata. Il secondo ha risposto: domani sarà ancora piú bello.

La signora arricciò il naso ma stette zitta,

perché i bambini avevano ricominciato a parlare nella loro lingua.

– Maraschi, barabaschi, pippirimoschi, – disse il primo.

– Bruf, – rispose il secondo. E giú di nuovo a ridere tutti e due.

– Non mi dirà che ha capito anche adesso, – esclamò indignata la vecchia signora.

– E invece ho capito tutto, – rispose sorridendo il vecchio signore. – Il primo ha detto: come siamo contenti di essere al mondo. E il secondo ha risposto: il mondo è bellissimo.

– Ma è poi bello davvero? – insisté la vecchia signora.

– Brif, bruf, braf, – rispose il vecchio signore.

A comprare la città di Stoccolma

Al mercato di Gavirate capitano certi ometti che vendono di tutto, e piú bravi di loro a vendere non si sa dove andarli a trovare.

Un venerdí capitò un ometto che vendeva strane cose: il Monte Bianco, l'Oceano Indiano, i mari della Luna, e aveva una magnifica parlantina, e dopo un'ora gli era rimasta solo la città di Stoccolma.

La comprò un barbiere, in cambio di un taglio di capelli con frizione. Il barbiere inchiodò tra due specchi il certificato che diceva: *Proprietario della città di Stoccolma*, e lo mostrava orgoglioso ai clienti, rispondendo a tutte le loro domande.

– È una città della Svezia, anzi è la capitale.

– Ha quasi un milione di abitanti, e naturalmente sono tutti miei.

– C'è anche il mare, si capisce, ma non so chi sia il proprietario.

Il barbiere, un poco alla volta, mise da parte i soldi, e l'anno scorso andò in Svezia a visitare la sua proprietà. La città di Stoccolma gli parve meravigliosa, e gli svedesi gentilissimi. Loro non capivano una parola di quello che diceva lui, e lui non capiva mezza parola di quello che gli rispondevano.

– Sono il padrone della città, lo sapete o no? Ve l'hanno fatto, il comunicato?

Gli svedesi sorridevano e dicevano di sí, perché non capivano ma erano gentili, e il barbiere si fregava le mani tutto contento:

– Una città simile per un taglio di capelli e una frizione! L'ho proprio pagata a buon mercato.

E invece si sbagliava, e l'aveva pagata troppo. Perché ogni bambino che viene in questo mondo, il mondo intero è tutto suo, e non deve pagarlo neanche un soldo, deve soltanto rimboccarsi le maniche, allungare le mani e prenderselo.

A toccare il naso del re

Una volta Giovannino Perdigiorno decise di andare a Roma a toccare il naso del re. I suoi amici lo sconsigliavano dicendo:
– Guarda che è una cosa pericolosa. Se il re si arrabbia ci perdi il tuo naso con tutta la testa.

Ma Giovannino era cocciuto. Mentre preparava la valigia, per fare un po' di allenamento andò a trovare il curato, il sindaco e il maresciallo e toccò il naso a tutti e tre con tanta prudenza e abilità che non se ne accorsero nemmeno.

«Ecco che non è difficile» pensò Giovannino.

Giunto nella città vicina si fece indicare la casa del governatore, quella del presidente e quella del giudice e andò a far visita a quegli illustri personaggi e anche a loro toccò il naso con un dito o due. I personaggi ci rimanevano un po' male, perché Giovannino pareva una persona bene educata e sapeva

parlare di quasi tutti gli argomenti. Il presidente ci si arrabbiò un tantino, ed esclamò:
– Ma che, mi sta prendendo per il naso?

– Per carità, – disse Giovannino, – c'era una mosca.

Il presidente si guardò intorno, non vide né mosche né zanzare, ma intanto Giovannino si inchinò in fretta e se ne andò senza dimenticarsi di chiudere la porta.

Giovannino aveva un libretto e ci teneva il conto dei nasi che riusciva a toccare. Tutti nasi importanti.

A Roma però il conto dei nasi salí tanto rapidamente che Giovannino dovette comprare un quaderno piú grosso. Bastava camminare per la strada e da qui a lí si era sicuri di incontrare un paio di eccellenze, qualche sotto-ministro e una decina di grandi segretari.

Non parliamo poi dei presidenti: c'erano piú presidenti che mendicanti. Tutti quei nasi di lusso erano abbastanza a portata di mano. I loro proprietari infatti scambiavano la tastatina di Giovannino Perdigiorno per un omaggio alla loro autorità e qualcuno si spinse fino a suggerire ai suoi dipendenti di fare altrettanto, dicendo:

– D'ora in avanti, invece di farmi l'inchino, potreste tastarmi il naso. È un'usanza piú moderna e piú raffinata.

I dipendenti, in principio, non osavano allungare le mani sui nasi dei loro superiori. Questi però li incoraggiavano con sorrisi larghi cosí, e allora giú toccatine, strizzatine, tastatelle: i nasi altolocati diventavano lucidi e rossi per la soddisfazione.

Giovannino non aveva dimenticato il suo scopo principale, che era di toccare il naso del re, e aspettava soltanto l'occasione buona. Questa si presentò durante un corteo. Giovannino notò che ogni tanto qualcuno dei presenti usciva dalla folla, balzava sui gradini della carrozza reale e consegnava al re una busta, certo una supplica, che il re passava sorridendo al suo primo ministro.

Quando la carrozza fu abbastanza vicina, Giovannino saltò sul predellino e mentre il re gli rivolgeva un sorriso invitante, lui disse:

– Compermesso, – allungò il braccio e strofinò la punta del suo dito indice sulla punta del naso di sua Maestà.

Il re si toccò il naso stupefatto, aprí la bocca per dire qualcosa ma Giovannino, con un salto indietro, si era già messo al sicuro tra la folla. Scoppiò un grande applauso e subito altri cittadini si affrettarono con entusiasmo a imitare l'esempio di Giovannino: saltavano sulla carrozza, acchiappavano il re per il naso e gli davano una buona scrollatina.

– È un nuovo segno di omaggio, maestà, – mormorava sorridendo il primo ministro nelle orecchie del re.

Ma il re non aveva piú tanta voglia di sorridere: il naso gli faceva male e cominciava a colare e lui non aveva nemmeno il tempo di asciugarsi la candela perché i suoi fedeli sudditi non gli davano tregua e continuavano allegramente a prenderlo per il naso.

Giovannino tornò al paese soddisfatto.

La famosa pioggia di Piombino

Una volta a Piombino piovvero confetti. Venivano giú grossi come chicchi di grandine, ma erano di tutti i colori: verdi, rosa, viola, blu. Un bambino si mise in bocca un chicco verde, tanto per provare, e trovò che sapeva di menta. Un altro assaggiò un chicco rosa e sapeva di fragola.

– Sono confetti! Sono confetti!

E via tutti per le strade a riempirsene le tasche. Ma non facevano in tempo a raccoglierli, perché venivano giú fitti fitti.

La pioggia durò poco ma lasciò le strade coperte da un tappeto di confetti profumati che scricchiolavano sotto i piedi. Gli scolari, tornando da scuola, ne trovarono ancora da riempirsi le cartelle. Le vecchiette ne avevano messi insieme dei bei fagottelli coi loro fazzoletti da testa.

Fu una grande giornata.

Anche adesso molta gente aspetta che dal cielo piovano confetti, ma quella nuvola non

è passata piú né da Piombino né da Torino, e forse non passerà mai nemmeno da Cremona.

La giostra di Cesenatico

Una volta a Cesenatico, in riva al mare, capitò una giostra. Aveva in tutto sei cavalli di legno e sei jeep rosse, un po' stinte, per i bambini di gusti piú moderni. L'ometto che la spingeva a forza di braccia era piccolo, magro, scuro, e aveva la faccia di uno che mangia un giorno sí e due no. Insomma, non era certo una gran giostra, ma ai bambini doveva parere fatta di cioccolato, perché le stavano sempre intorno in ammirazione e facevano capricci per salirvi.

«Cos'avrà questa giostra, il miele?» si dicevano le mamme. E proponevano ai bambini: – Andiamo a vedere i delfini nel canale, andiamo a sederci in quel caffè coi divanetti a dondolo.

Niente: i bambini volevano la giostra.

Una sera un vecchio signore, dopo aver messo il nipote in una jeep, salí lui pure sulla giostra e montò in sella a un cavalluccio di legno. Ci stava scomodo, perché aveva le gambe lunghe e i piedi gli toccavano terra, rideva. Ma appena l'ometto cominciò a far girare la giostra, che meraviglia: il vecchio signore si trovò in un attimo all'altezza del grattacielo di Cesenatico, e il suo cavalluccio galoppava nell'aria, puntando dritto il muso verso le nuvole. Guardò giú e vide tutta la Romagna, e poi tutta l'Italia, e poi la terra intera che si allontanava sotto gli zoccoli del cavalluccio e ben presto fu anche lei una piccola giostra azzurra che girava, girava, mostrando uno dopo l'altro i continenti e gli oceani, disegnati come su una carta geografica.

«Dove andremo?» si domandò il vecchio signore.

In quel momento gli passò davanti il nipotino, al volante della vecchia jeep rossa un po' stinta, trasformata in un veicolo spaziale. E dietro a lui, in fila, tutti gli altri bambini, tranquilli e sicuri sulla loro orbita come tanti satelliti artificiali.

L'omino della giostra chissà dov'era, ormai; però si sentiva ancora il disco che suonava un brutto *cha-cha-cha*: ogni giro di giostra durava un disco intero.

«Allora il trucco c'era, – si disse il vecchio signore. – Quell'ometto dev'essere uno stregone».

E pensò anche: «Se nel tempo di un disco

faremo un giro intero della terra, batteremo il record di Gagarin».

Ora la carovana spaziale sorvolava l'Oceano Pacifico con tutte le sue isolette, l'Australia coi canguri che spiccavano salti, il Polo Sud, dove milioni di pinguini stavano col naso per aria. Ma non ci fu il tempo di contarli: al loro posto già gli indiani d'America facevano segnali col fumo, ed ecco i grattacieli di Nuova York, ed ecco un solo grattacielo, ed era quello di Cesenatico. Il disco era finito. Il vecchio signore si guardò intorno, stupito: era di nuovo sulla vecchia, pacifica giostra in riva all'Adriatico, l'ometto scuro e magro la stava frenando dolcemente, senza scosse.

Il vecchio signore scese traballando.

– Senta, lei, – disse all'ometto. Ma quello non aveva tempo di dargli retta, altri bambini avevano occupato i cavalli e le jeep, la giostra ripartiva per un altro giro del mondo.

– Dica, – ripeté il vecchio signore, un po' stizzito.

L'ometto non lo guardò nemmeno. Spingeva la giostra, si vedevano passare in tondo le facce allegre dei bambini che cercavano quelle dei loro genitori, ferme in cerchio, tutte con un sorriso d'incoraggiamento sulle labbra.

Uno stregone quell'ometto da due soldi?

Una giostra magica quella buffa macchina traballante al suono di un brutto *cha-cha-cha*?

– Via, – concluse il vecchio, – è meglio che non ne parli a nessuno. Forse riderebbero alle mie spalle e mi direbbero: «Non sa che alla sua età è pericoloso andare in giostra, perché vengono le vertigini?»

Sulla spiaggia di Ostia

A pochi chilometri da Roma c'è la spiaggia di Ostia, e i romani d'estate ci vanno a migliaia di migliaia, sulla spiaggia non resta nemmeno lo spazio per scavare una buca con la paletta, e chi arriva ultimo non sa dove piantare l'ombrellone.

Una volta capitò sulla spiaggia di Ostia un bizzarro signore, davvero spiritoso. Arrivò per ultimo, con l'ombrellone sotto il braccio, e non trovò il posto per piantarlo. Allora lo aprí, diede un'aggiustatina al manico e subito l'ombrellone si sollevò per aria, scavalcò migliaia di migliaia di ombrelloni e andò a mettersi proprio in riva al mare, ma due o tre metri sopra la punta degli altri ombrelloni. Lo spiritoso signore aprí la sua sedia a sdraio, e anche quella galleggiò per aria; si sdraiò all'ombra dell'ombrellone, levò di tasca un libro e cominciò a leggere, respirando l'aria del mare, frizzante di sale e di iodio.

La gente, sulle prime, non se ne accorse nemmeno. Stavano tutti sotto i loro ombrelloni, cercavano di vedere un pezzetto di mare tra le teste di quelli che stavano davanti, o facevano le parole crociate, e nessuno guardava per aria. Ma ad un tratto una signora sentí qualcosa cadere sul suo ombrellone, pensò che fosse una palla, uscí per sgridare i bambini, si guardò intorno, guardò per aria e vide lo spiritoso signore sospeso sulla sua testa. Il signore guardava in giú e disse a quella signora:

– Scusi, signora, mi è caduto il libro. Me lo ributta su per cortesia?

La signora, per la sorpresa, cadde seduta nella sabbia e siccome era molto grassa non riusciva a risollevarsi. Accorsero i parenti per aiutarla, e la signora, senza parlare, indicò loro col dito l'ombrellone volante.

– Per piacere, – ripeté lo spiritoso signore, – mi ributtano su il mio libro?

– Ma non vede che ha spaventato nostra zia!

– Mi dispiace tanto, non ne avevo davvero l'intenzione.

– E allora scenda di lí, è proibito.

– Niente affatto, sulla spiaggia non c'era posto e mi sono messo qui. Anch'io pago le tasse, sa?

Uno dopo l'altro, intanto, tutti i romani

ALTAN.

della spiaggia si decisero a guardare per aria, e si additavano ridendo quel bizzarro bagnante.

– Anvedi quello, – dicevano, – ci ha l'ombrellone a reazzione!

– A Gagarin, – gli gridavano, – me fai montà puro ammè?

Un ragazzino gli gettò su il libro, e il signore lo sfogliava nervosamente per ritrovare il segno, poi si rimise a leggere sbuffando. Pian piano lo lasciarono in pace. Solo i bambini, ogni tanto, guardavano per aria con invidia, e i piú coraggiosi chiamavano:

– Signore, signore!

– Che volete?

– Perché non ci insegna come si fa a star per aria cosí?

Ma quello sbuffava e tornava a leggere. Al tramonto, con un leggero sibilo, l'ombrellone volò via, lo spiritoso signore atterrò sulla strada vicino alla sua motocicletta, montò in sella e se ne andò. Chissà chi era e chissà dove aveva comprato quell'ombrellone.

Il topo dei fumetti

Un topolino dei fumetti, stanco di abitare tra le pagine di un giornale e desideroso di cambiare il sapore della carta con quello del formaggio, spiccò un bel salto e si trovò nel mondo dei topi di carne e d'ossa.

– *Squash!* – esclamò subito, sentendo odor di gatto.

– Come ha detto? – bisbigliarono gli altri topi, messi in soggezione da quella strana parola.

– *Sploom, bang, gulp!* – disse il topolino, che parlava solo la lingua dei fumetti.

– Dev'essere turco, – osservò un vecchio topo di bastimento, che prima di andare in pensione era stato in servizio nel Mediterraneo. E si provò a rivolgergli la parola in turco. Il topolino lo guardò con meraviglia e disse:

– *Ziip, fiiish, bronk.*

– Non è turco, – concluse il topo navigatore.

– Allora cos'è?
– Vattelapesca.
Cosí lo chiamarono Vattelapesca e lo tennero un po' come lo scemo del villaggio.
– Vattelapesca, – gli domandavano, – ti piace di piú il parmigiano o il groviera?
– *Spliiit*, *grong*, *ziziziiir*, – rispondeva il topo dei fumetti.
– Buona notte, – ridevano gli altri. I piú piccoli, poi, gli tiravano la coda apposta per sentirlo protestare in quella buffa maniera: – *Zoong*, *splash*, *squarr!*
Una volta andarono a caccia in un mulino, pieno di sacchi di farina bianca e gialla. I topi affondarono i denti in quella manna e masticavano a cottimo, facendo: *crik*, *crik*, *crik*, come tutti i topi quando masticano. Ma il topo dei fumetti faceva: – *Crek*, *screk*, *schererek*.
– Impara almeno a mangiare come le persone educate, – borbottò il topo navigatore. – Se fossimo su un bastimento saresti già stato buttato a mare. Ti rendi conto o no che fai un rumore disgustoso?
– *Crengh*, – disse il topo dei fumetti, e tornò a infilarsi in un sacco di granturco.
Il navigatore, allora, fece un segno agli altri, e quatti quatti se la filarono, abbandonando lo straniero al suo destino, sicuri

che non avrebbe mai ritrovato la strada di casa.

Per un po' il topolino continuò a masticare. Quando finalmente si accorse di essere rimasto solo, era già troppo buio per cercare la strada e decise di passare la notte al mulino. Stava per addormentarsi, quand'ecco nel buio accendersi due semafori gialli, ecco il fruscio sinistro di quattro zampe di cacciatore. Un gatto!

– *Squash!* – disse il topolino, con un brivido.

– *Gragrragnau!* – rispose il gatto. Cielo, era un gatto dei fumetti! La tribú dei gatti veri lo aveva cacciato perché non riusciva a fare *miao* come si deve.

I due derelitti si abbracciarono, giurandosi eterna amicizia e passarono tutta la notte a conversare nella strana lingua dei fumetti. Si capivano a meraviglia.

Storia del regno di Mangionia

Sul lontano, antico paese di Mangionia, a est del ducato di Bevibuono, regnò per primo Mangione il Digeritore, cosí chiamato perché dopo aver mangiato gli spaghetti sgranocchiava anche il piatto, e lo digeriva a meraviglia.

Gli successe sul trono Mangione Secondo, detto Tre Cucchiai, perché mangiava la minestra in brodo adoperando contemporaneamente tre cucchiai d'argento: due li teneva lui con le sue mani, il terzo glielo reggeva la Regina, e guai se non era pieno.

Dopo di lui, nell'ordine, salirono sul trono di Mangionia, che era collocato a capo di una tavola imbandita giorno e notte:

Mangione Terzo, detto l'Antipasto;

Mangione Quarto, detto Cotoletta alla Parmigiana;

Mangione Quinto, il Famelico;

Mangione Sesto, lo Sbranatacchini;

Mangione Settimo, detto «Ce n'è ancora?», che divorò perfino la corona, e sí che era di ferro battuto;

Mangione Ottavo, detto Crosta di Formaggio, che sulla tavola non trovò piú nulla da mangiare e inghiottí la tovaglia;

Mangione Nono, detto Ganascia d'Acciaio, che si mangiò il trono con tutti i cuscini.

Cosí la dinastia finí.

Alice casca in mare

Una volta Alice Cascherina andò al mare, se ne innamorò e non voleva mai uscire dall'acqua.

– Alice, esci dall'acqua, – la chiamava la mamma.

– Subito, eccomi, – rispondeva Alice. Invece pensava: – Starò in acqua fin che mi cresceranno le pinne e diventerò un pesce.

Di sera, prima di andare a letto, si guardava le spalle nello specchio, per vedere se le crescevano le pinne, o almeno qualche squama d'argento. Ma scopriva soltanto dei granelli di sabbia, se non si era fatta bene la doccia.

Una mattina scese sulla spiaggia piú presto del solito e incontrò un ragazzo che raccoglieva ricci e telline. Era figlio di pescatori, e sulle cose di mare la sapeva lunga.

– Tu sai come si fa a diventare un pesce? – gli domandò Alice.

– Ti faccio vedere subito, – rispose il ragazzo.

Posò su uno scoglio il fazzoletto con i ricci e le telline e si tuffò in mare. Passa un minuto, ne passano due, il ragazzo non tornava a galla. Ma poi ecco al suo posto comparire un delfino che faceva le capriole tra le onde e lanciava allegri zampilli nell'aria. Il delfino venne a giocare tra i piedi di Alice, ed essa non ne aveva la minima paura.

Dopo un po' il delfino, con un elegante colpo di coda, prese il largo. Al suo posto riemerse il ragazzo delle telline e sorrise:

– Hai visto com'è facile?

– Ho visto, ma non sono sicura di saperlo fare.

– Provati.

Alice si tuffò, desiderando ardentemente di diventare una stella marina, invece cadde in una conchiglia che stava sbadigliando, ma subito richiuse le valve, imprigionando Alice e tutti i suoi sogni.

«Eccomi di nuovo nei guai», pensò la bimba. Ma che silenzio, che fresca pace, laggiú e là dentro. Sarebbe stato bello restarci per sempre, vivere sul fondo del mare come le sirene d'una volta. Alice sospirò. Le venne in mente la mamma, che la credeva ancora a letto; le venne in mente il babbo,

che proprio quella sera doveva arrivare dalla città, perché era sabato.

– Non posso lasciarli soli, mi vogliono troppo bene. Tornerò a terra, per questa volta.

Puntando i piedi e le mani riuscí ad aprire la conchiglia abbastanza per saltarne fuori e risalire a galla. Il ragazzo delle telline era già lontano. Alice non raccontò mai a nessuno quello che le era capitato.

La guerra delle campane

C'era una volta una guerra, una grande e terribile guerra, che faceva morire molti soldati da una parte e dall'altra. Noi stavamo di qua e i nostri nemici stavano di là, e ci sparavamo addosso giorno e notte, ma la guerra era tanto lunga che a un certo punto ci venne a mancare il bronzo per i cannoni, non avevamo piú ferro per le baionette, eccetera.

Il nostro comandante, lo Stragenerale Bombone Sparone Pestafracassone, ordinò di tirar giú tutte le campane dai campanili e di fonderle tutte insieme per fabbricare un grossissimo cannone: uno solo, ma grosso abbastanza da vincere tutta la guerra con un sol colpo.

A sollevare quel cannone ci vollero centomila gru; per trasportarlo al fronte ci vollero novantasette treni. Lo Stragenerale si fregava le mani per la contentezza e diceva:

– Quando il mio cannone sparerà i nemici scapperanno fin sulla luna.

Ecco il gran momento. Il cannonissimo era puntato sui nemici. Noi ci eravamo riempiti le orecchie di ovatta, perché il frastuono poteva romperci i timpani e la tromba di Eustachio.

Lo Stragenerale Bombone Sparone Pestafracassone ordinò: – Fuoco!

Un artigliere premette un pulsante. E d'improvviso, da un capo all'altro del fronte, si udí un gigantesco scampanio: *Din! Don! Dan!*

Noi ci levammo l'ovatta dalle orecchie per sentir meglio.

– *Din! Don! Dan!* – tuonava il cannonissimo. E centomila echi ripetevano per monti e per valli: – *Din! Don! Dan!*

– Fuoco! – gridò lo Stragenerale per la seconda volta: – Fuoco, perbacco!

L'artigliere premette nuovamente il pulsante e di nuovo un festoso concerto di campane si diffuse di trincea in trincea. Pareva che suonassero insieme tutte le campane della nostra patria. Lo Stragenerale si strappava i capelli per la rabbia e continuò a strapparseli fin che gliene rimase uno solo.

Poi ci fu un momento di silenzio. Ed ecco che dall'altra parte del fronte, come per un segnale, rispose un allegro, assordante: – *Din! Don! Dan!*

Perché dovete sapere che anche il comandante dei nemici, il Mortesciallo Von Bombonen Sparonen Pestafrakasson, aveva avuto l'idea di fabbricare un cannonissimo con le campane del suo paese.

– *Din! Dan!* – tuonava adesso il nostro cannone.

– *Don!* – rispondeva quello dei nemici. E i soldati dei due eserciti balzavano dalle trincee, si correvano incontro, ballavano e gridavano: – Le campane, le campane! È festa! È scoppiata la pace!

Lo Stragenerale e il Mortesciallo salirono sulle loro automobili e corsero lontano, e consumarono tutta la benzina, ma il suono delle campane li inseguiva ancora.

Una viola al Polo Nord

Una mattina, al Polo Nord, l'orso bianco fiutò nell'aria un odore insolito e lo fece notare all'orsa maggiore (la minore era sua figlia):

– Che sia arrivata qualche spedizione?

Furono invece gli orsacchiotti a trovare la viola. Era una piccola violetta mammola e tremava di freddo, ma continuava coraggiosamente a profumare l'aria, perché quello era il suo dovere.

– Mamma, papà, – gridarono gli orsacchiotti.

– Io l'avevo detto subito che c'era qualcosa di strano, – fece osservare per prima cosa l'orso bianco alla famiglia. – E secondo me non è un pesce.

– No di sicuro, – disse l'orsa maggiore, – ma non è nemmeno un uccello.

– Hai ragione anche tu, – disse l'orso, dopo averci pensato su un bel pezzo.

Prima di sera si sparse per tutto il Polo la

notizia: un piccolo, strano essere profumato, di colore violetto, era apparso nel deserto di ghiaccio, si reggeva su una sola zampa e non si muoveva. A vedere la viola vennero foche e trichechi, vennero dalla Siberia le renne, dall'America i buoi muschiati, e piú di lontano ancora volpi bianche, lupi e gazze marine. Tutti ammiravano il fiore sconosciuto, il suo stelo tremante, tutti aspiravano il suo profumo, ma ne restava sempre abbastanza per quelli che arrivavano ultimi ad annusare, ne restava sempre come prima.

– Per mandare tanto profumo, – disse una foca, – deve avere una riserva sotto il ghiaccio.

– Io l'avevo detto subito, – esclamò l'orso bianco, – che c'era sotto qualcosa.

Non aveva detto proprio cosí, ma nessuno se ne ricordava.

Un gabbiano, spedito al Sud per raccogliere informazioni, tornò con la notizia che il piccolo essere profumato si chiamava viola e che in certi paesi, laggiú, ce n'erano milioni.

– Ne sappiamo quanto prima, – osservò la foca. – Com'è che proprio questa viola è arrivata proprio qui? Vi dirò tutto il mio pensiero: mi sento alquanto perplessa.

– Come ha detto che si sente? – domandò l'orso bianco a sua moglie.

ALTAN.

– Perplessa. Cioè, non sa che pesci pigliare.

– Ecco, – esclamò l'orso bianco, – proprio quello che penso anch'io.

Quella notte corse per tutto il Polo un pauroso scricchiolio. I ghiacci eterni tremavano come vetri e in piú punti si spaccarono. La violetta mandò un profumo piú intenso, come se avesse deciso di sciogliere in una sola volta l'immenso deserto gelato, per trasformarlo in un mare azzurro e caldo, o in un prato di velluto verde. Lo sforzo la esaurí. All'alba fu vista appassire, piegarsi sullo stelo, perdere il colore e la vita. Tradotto nelle nostre parole e nella nostra lingua il suo ultimo pensiero dev'essere stato pressappoco questo: – Ecco, io muoio... Ma bisognava pure che qualcuno cominciasse... Un giorno le viole giungeranno qui a milioni. I ghiacci si scioglieranno, e qui ci saranno isole, case e bambini.

Il giovane gambero

Un giovane gambero pensò: «Perché nella mia famiglia tutti camminano all'indietro? Voglio imparare a camminare in avanti, come le rane, e mi caschi la coda se non ci riesco».

Cominciò ad esercitarsi di nascosto, tra i sassi del ruscello natio, e i primi giorni l'impresa gli costava moltissima fatica. Urtava dappertutto, si ammaccava la corazza e si schiacciava una zampa con l'altra. Ma un po' alla volta le cose andarono meglio, perché tutto si può imparare, se si vuole.

Quando fu ben sicuro di sé, si presentò alla sua famiglia e disse:

– State a vedere.

E fece una magnifica corsetta in avanti.

– Figlio mio, – scoppiò a piangere la madre, – ti ha dato di volta il cervello? Torna in te, cammina come tuo padre e tua madre ti hanno insegnato, cammina come i tuoi fratelli che ti vogliono tanto bene.

I suoi fratelli però non facevano che sghignazzare.

Il padre lo stette a guardare severamente per un pezzo, poi disse: – Basta cosí. Se vuoi restare con noi, cammina come gli altri gamberi. Se vuoi fare di testa tua, il ruscello è grande: vattene e non tornare piú indietro.

Il bravo gamberetto voleva bene ai suoi, ma era troppo sicuro di essere nel giusto per avere dei dubbi: abbracciò la madre, salutò il padre e i fratelli e si avviò per il mondo.

Il suo passaggio destò subito la sorpresa di un crocchio di rane che da brave comari si erano radunate a far quattro chiacchiere intorno a una foglia di ninfea.

– Il mondo va a rovescio, – disse una rana, – guardate quel gambero e datemi torto, se potete.

– Non c'è piú rispetto, – disse un'altra rana.

– Ohibò, ohibò, – disse una terza.

Ma il gamberetto proseguí diritto, è proprio il caso di dirlo, per la sua strada. A un certo punto si sentí chiamare da un vecchio gamberone dall'espressione malinconica che se ne stava tutto solo accanto a un sasso.

– Buon giorno, – disse il giovane gambero.

Il vecchio lo osservò a lungo, poi disse: – Cosa credi di fare? Anch'io, quando ero giovane, pensavo di insegnare ai gamberi a camminare in avanti. Ed ecco che cosa ci ho guadagnato: vivo tutto solo, e la gente si mozzerebbe la lingua piuttosto che rivolgermi la parola. Fin che sei in tempo, da' retta a me: rassegnati a fare come gli altri e un giorno mi ringrazierai del consiglio.

Il giovane gambero non sapeva cosa rispondere e stette zitto. Ma dentro di sé pensava: «Ho ragione io».

E salutato gentilmente il vecchio riprese fieramente il suo cammino.

Andrà lontano? Farà fortuna? Raddrizzerà tutte le cose storte di questo mondo? Noi non lo sappiamo, perché egli sta ancora marciando con il coraggio e la decisione del primo giorno. Possiamo solo augurargli, di tutto cuore: – Buon viaggio!

I capelli del gigante

Una volta c'erano quattro fratelli. Tre erano piccolissimi ma tanto furbi, il quarto era un gigante dalla forza smisurata ma era molto meno furbo degli altri.

La forza ce l'aveva nelle mani e nelle braccia, ma l'intelligenza ce l'aveva nei capelli. I suoi furbi fratellini gli tagliavano i capelli corti corti, perché restasse sempre un po' tonto, e poi tutti i lavori li facevano fare a lui, che era tanto forte, e loro stavano a guardarlo e intascavano il guadagno.

Lui doveva arare i campi, lui spaccare la legna, far girare la ruota del mulino, tirare il carretto al posto del cavallo, e i suoi furbi fratellini sedevano a cassetta e lo guidavano a suon di frusta.

E mentre sedevano a cassetta tenevano d'occhio la sua testa e dicevano:

– Come stai bene con i capelli corti.

– Ah, la vera bellezza non sta mica nei riccioli.

– Guardate quel ciuffetto che si allunga: stasera ci vorrà un colpetto di forbici.

Intanto si strizzavano l'occhio, si davano allegre gomitate nei fianchi e al mercato intascavano i soldi, andavano all'osteria e lasciavano il gigante a fare la guardia al carretto.

Da mangiare gliene davano abbastanza perché potesse lavorare; da bere poi, gliene davano ogni volta che aveva sete, ma solo vino di fontana.

Un giorno il gigante si ammalò. I suoi fratellini, per paura che morisse mentre era ancora buono a lavorare, fecero venire i migliori medici del paese a curarlo, gli davano da bere le medicine piú costose e gli portavano la colazione a letto.

E chi gli aggiustava i cuscini, chi gli rimboccava le coperte. E intanto gli dicevano:

– Vedi quanto ti vogliamo bene? Tu dunque non morire, non farci questo torto.

Erano tanto preoccupati per la sua salute che si dimenticarono di tener d'occhio la capigliatura. I capelli ebbero il tempo di crescere lunghi come non erano mai stati e con i capelli tornò al gigante tutta la sua intelligenza. Egli cominciò a riflettere, a osservare i suoi fratellini, a sommare due piú due e quattro piú quattro. Comprese finalmente quanto essi fossero stati perfidi, e lui tonto, ma subito non disse nulla. Aspettò che gli tornassero le forze e una mattina, mentre i suoi fratellini dormivano ancora, egli si alzò, li legò come salami e li caricò sul carretto.

– Dove ci porti, fratello caro, dove porti i tuoi amati fratellini?

– Ora vedrete.

Li portò alla stazione, li ficcò in treno legati come stavano e per tutto saluto disse loro: – Andatevene, e non fatevi piú rivedere da queste parti. Mi avete ingannato abbastanza. Adesso il padrone sono io.

Il treno fischiò, le ruote si mossero, ma i tre furbi fratellini se ne stettero buoni buoni al loro posto e nessuno li ha rivisti mai piú.

Il naso che scappa

Il signor Gogol ha raccontato la storia di un naso di Leningrado, che se ne andava a spasso in carrozza e ne combinava di tutti i colori.

Una storia del genere è accaduta a Laveno, sul Lago Maggiore. Una mattina un signore che abitava proprio di fronte al pontile dove si prendono i battelli si alzò, andò in bagno per farsi la barba e nel guardarsi allo specchio gridò:

– Aiuto! Il mio naso!

Il naso, in mezzo alla faccia, non c'era piú, al suo posto c'era tutto un liscio. Quel signore, in vestaglia come stava, corse sul balcone, giusto in tempo per vedere il naso che usciva sulla piazza e si avviava di buon passo verso il pontile, sgusciando tra le automobili che si stavano imbarcando sulla motonave traghetto per Verbania.

– Ferma, ferma! – gridò il signore. – Il mio naso! Al ladro, al ladro!

La gente guardava in su e rideva:

– Le hanno rubato il naso e le hanno lasciato la zucca? Brutto affare.

A quel signore non rimase che scendere in strada e inseguire il fuggitivo, e intanto si teneva un fazzoletto davanti alla faccia come se avesse il raffreddore. Purtroppo arrivò appena in tempo per vedere il battello che si staccava dal pontile. Il signore si buttò coraggiosamente in acqua per raggiungerlo, mentre passeggeri e turisti gridavano: Forza! Forza! Ma il battello aveva già preso velocità e il capitano non aveva nessuna intenzione di tornare indietro per imbarcare i ritardatari.

– Aspetti l'altro traghetto, – gridò un marinaio a quel signore, – ce n'è uno ogni mezz'ora!

Il signore, scoraggiato, stava tornando a riva quando vide il suo naso che, steso sull'acqua un mantello, come San Giulio nella leggenda, navigava a piccola velocità.

– Dunque non hai preso il battello? È stata tutta una finta? – gridò quel signore.

Il naso guardava fisso davanti a sé, come un vecchio lupo di lago, e non si degnò neanche di voltarsi. Il mantello ondeggiava dolcemente come una medusa.

– Ma dove vai? – gridò il signore.

Il naso non rispose, e il suo disgraziato

padrone si rassegnò a raggiungere il porto di Laveno e a passare in mezzo alla folla di curiosi per tornare a casa, dove si tappò, dando ordine alla domestica di non lasciar entrare nessuno, e passava il tempo a guardarsi nello specchio la faccia senza naso.

Qualche giorno dopo un pescatore di Ranco, tirando su la rete, ci trovò il naso fuggitivo, che aveva fatto naufragio in mezzo al lago perché il mantello era pieno di buchi, e pensò di portarlo al mercato di Laveno.

La serva di quel signore, che era andata al mercato per comprare il pesce, vide subito il naso, esposto in bella vista in mezzo alle tinche e ai lucci.

– Ma questo è il naso del mio padrone! – esclamò inorridita. – Datemelo subito che glielo porto.

– Di chi sia non so, – dichiarò il pescatore, – io l'ho pescato e lo vendo.

– A quanto?

– A peso d'oro, si sa. È un naso, non è mica un pesce persico.

La domestica corse a informare il suo padrone.

– Dagli quello che domanda! Voglio il mio naso!

La domestica fece il conto che ci voleva un sacco di denaro, perché il naso era piuttosto grosso: ci volevano tremendamila lire, tredici tredicioni e mezzo. Per mettere insieme la somma dovette vendere anche i suoi orecchini, ma siccome era molto affezionata al suo padrone li sacrificò con un sospiro.

Comprò il naso, lo avvolse in un fazzoletto e lo portò a casa. Il naso si lasciò ricondurre buono buono, e non si ribellò nemmeno quando il suo padrone lo accolse tra le mani tremanti.

– Ma perché sei scappato? Che cosa ti avevo fatto?

Il naso lo guardò di traverso, arricciandosi tutto per il disgusto, e disse: – Senti, non metterti mai piú le dita nel naso. O almeno tagliati le unghie.

La strada che non andava in nessun posto

All'uscita del paese si dividevano tre strade: una andava verso il mare, la seconda verso la città e la terza non andava in nessun posto.

Martino lo sapeva perché l'aveva chiesto un po' a tutti, e da tutti aveva avuto la stessa risposta:

– Quella strada lí? Non va in nessun posto. È inutile camminarci.

– E fin dove arriva?

– Non arriva da nessuna parte.

– Ma allora perché l'hanno fatta?

– Non l'ha fatta nessuno, è sempre stata lí.

– Ma nessuno è mai andato a vedere?

– Sei una bella testa dura: se ti diciamo che non c'è niente da vedere...

– Non potete saperlo, se non ci siete stati mai.

Era cosí ostinato che cominciarono a chiamarlo Martino Testadura, ma lui non se la prendeva e continuava a pensare alla strada che non andava in nessun posto.

Quando fu abbastanza grande da attraversare la strada senza dare la mano al nonno, una mattina si alzò per tempo, uscí dal paese e senza esitare imboccò la strada misteriosa e andò sempre avanti. Il fondo era pieno di buche e di erbacce, ma per fortuna non pioveva da un pezzo, cosí non c'erano pozzanghere. A destra e a sinistra si allungava una siepe, ma ben presto cominciarono i boschi. I rami degli alberi si intrecciavano al di sopra della strada e formavano una galleria oscura e fresca, nella quale penetrava solo qua e là qualche raggio di sole a far da fanale.

Cammina e cammina, la galleria non finiva mai, la strada non finiva mai, a Martino dolevano i piedi, e già cominciava a pensare che avrebbe fatto bene a tornarsene indietro quando vide un cane.

«Dove c'è un cane c'è una casa, – rifletté Martino, – o per lo meno un uomo».

Il cane gli corse incontro scodinzolando e gli leccò le mani, poi si avviò lungo la strada e ad ogni passo si voltava per controllare se Martino lo seguiva ancora.

– Vengo, vengo, – diceva Martino, incuriosito. Finalmente il bosco cominciò a diradarsi, in alto riapparve il cielo e la strada terminò sulla soglia di un grande cancello di ferro.

Attraverso le sbarre Martino vide un castello con tutte le porte e le finestre spalancate, e il fumo usciva da tutti i comignoli, e da un balcone una bellissima signora salutava con la mano e gridava allegramente:

– Avanti, avanti, Martino Testadura!

– Toh, – si rallegrò Martino, – io non sapevo che sarei arrivato, ma lei sí.

Spinse il cancello, attraversò il parco ed entrò nel salone del castello in tempo per fare l'inchino alla bella signora che scendeva dallo scalone. Era bella, e vestita anche meglio delle fate e delle principesse, e in piú era proprio allegra e rideva:

– Allora non ci hai creduto.

– A che cosa?

– Alla storia della strada che non andava in nessun posto.

– Era troppo stupida. E secondo me ci sono anche piú posti che strade.

– Certo, basta aver voglia di muoversi. Ora vieni, ti farò visitare il castello.

C'erano piú di cento saloni, zeppi di tesori d'ogni genere, come quei castelli delle favole dove dormono le belle addormentate o dove gli orchi ammassano le loro ricchezze. C'erano diamanti, pietre preziose, oro, argento, e ogni momento la bella signora diceva: – Prendi, prendi quello che vuoi. Ti presterò un carretto per portare il peso.

Figuratevi se Martino si fece pregare. Il carretto era ben pieno quando egli ripartí. A cassetta sedeva il cane, che era un cane ammaestrato, e sapeva reggere le briglie e abbaiare ai cavalli quando sonnecchiavano e uscivano di strada.

In paese, dove l'avevano già dato per morto, Martino Testadura fu accolto con grande sorpresa. Il cane scaricò in piazza tutti i suoi tesori, dimenò due volte la coda in segno di saluto, rimontò a cassetta e via, in una nuvola di polvere. Martino fece grandi regali a tutti, amici e nemici, e dovette raccontare cento volte la sua avventura, e ogni volta che finiva qualcuno correva a casa a prendere carretto e cavallo e si precipitava giú per la strada che non andava in nessun posto.

Ma quella sera stessa tornarono uno dopo l'altro, con la faccia lunga cosí per il dispetto: la strada, per loro, finiva in mezzo al bosco, contro un fitto muro d'alberi, in un mare di spine. Non c'era piú né cancello, né castello, né bella signora. Perché certi tesori esistono soltanto per chi batte per primo una strada nuova, e il primo era stato Martino Testadura.

Lo spaventapasseri

Gonario era l'ultimo di sette fratelli. I suoi genitori non avevano soldi per mandarlo a scuola, perciò lo mandarono a lavorare in una grande fattoria agricola. Gonario doveva fare lo spaventapasseri, per tener lontani gli uccelli dai campi. Ogni mattina gli davano un cartoccio di polvere da sparo e Gonario, per ore ed ore, faceva su e giú per i campi, e di tratto in tratto si fermava e dava fuoco a un pizzico di polvere. L'esplosione spaventava gli uccelli che fuggivano, temendo i cacciatori.

Una volta il fuoco si appiccò alla giacca di Gonario, e se il bambino non fosse stato svelto a tuffarsi in un fosso certamente sarebbe morto tra le fiamme. Il suo tuffo spaventò le rane, che fuggirono con clamore, e il loro clamore spaventò i grilli e le cicale, che smisero per un attimo di cantare.

Ma il piú spaventato di tutti era lui, Gonario, e piangeva tutto solo in riva al fosso, bagnato come un brutto anatroccolo, piccolo, stracciato e affamato. Piangeva cosí disperatamente che i passeri si fermarono su un albero a guardarlo, e pigolavano di compassione per consolarlo. Ma i passeri non possono consolare uno spaventapasseri.

Questa storia è accaduta in Sardegna.

A giocare col bastone

Un giorno il piccolo Claudio giocava sotto il portone, e sulla strada passò un bel vecchio con gli occhiali d'oro, che camminava curvo, appoggiandosi a un bastone, e proprio davanti al portone il bastone gli cadde.

Claudio fu pronto a raccoglierlo e lo porse al vecchio, che sorrise e disse:

– Grazie, ma non mi serve. Posso camminare benissimo senza. Se ti piace, tienilo.

E senza aspettare risposta si allontanò, e pareva meno curvo di prima. Claudio rimase lí col bastone fra le mani e non sapeva che farne. Era un comune bastone di legno, col manico ricurvo e il puntale di ferro, e niente altro di speciale da notare.

Claudio picchiò due o tre volte il puntale per terra, poi, quasi senza pensarci, inforcò il bastone ed ecco che non era piú un bastone, ma un cavallo, un meraviglioso puledro nero con una stella bianca in fronte, che si slanciò al galoppo intorno al cortile, nitrendo e facendo sprizzare scintille dai ciottoli.

Quando Claudio, meravigliato e un po' spaventato, riuscí a rimettere il piede a terra, il bastone era di nuovo un bastone, e non aveva zoccoli ma un semplice puntale arrugginito, né criniera, ma il solito manico ricurvo.

– Voglio riprovare, – decise Claudio, quando ebbe ripreso fiato.

Inforcò di nuovo il bastone, e stavolta esso non fu un cavallo, ma un solenne cammello a due gobbe, e il cortile era un immenso deserto da attraversare, ma Claudio non aveva paura e scrutava in lontananza, per veder comparire l'oasi.

«È certamente un bastone fatato», si disse Claudio, inforcandolo per la terza volta. Adesso era un'automobile da corsa, tutta rossa, col numero scritto in bianco sul cofano, e il cortile una pista rombante, e Claudio arrivava sempre primo al traguardo.

Poi il bastone fu un motoscafo, e il cortile un lago dalle acque calme e verdi, e poi un'astronave che fendeva lo spazio, lasciandosi dietro una scia di stelle.

Ogni volta che Claudio rimetteva il piede a terra il bastone riprendeva il suo pacifico aspetto, il manico lucido, il vecchio puntale.

Il pomeriggio passò veloce tra quei giochi. Verso sera Claudio si riaffacciò per caso sulla strada, ed ecco di ritorno il vecchio dagli occhiali d'oro. Claudio lo osservò con curiosità, ma non poté vedere in lui niente di speciale: era un vecchio signore qualunque, un po' affaticato dalla passeggiata.

– Ti piace il bastone? – egli domandò sorridendo a Claudio.

Claudio credette che lo rivolesse indietro, e glielo tese, arrossendo.

Ma il vecchio fece cenno di no.

– Tienilo, tienilo, – disse. – Che cosa me ne faccio, ormai, di un bastone? Tu ci puoi volare, io potrei soltanto appoggiarmi. Mi appoggerò al muro e sarà lo stesso.

E se ne andò sorridendo, perché non c'è persona piú felice al mondo del vecchio che può regalare qualcosa ad un bambino.

Vecchi proverbi

– Di notte, – sentenziava un Vecchio Proverbio, – tutti i gatti sono bigi.

– E io son nero, – disse un gatto nero attraversando la strada.

– È impossibile: i Vecchi Proverbi hanno sempre ragione.

– Ma io sono nero lo stesso, – ripeté il gatto.

Per la sorpresa e per l'amarezza il Vecchio Proverbio cadde dal tetto e si ruppe una gamba.

Un altro Vecchio Proverbio andò a vedere una partita di calcio, prese da parte un giocatore e gli sussurrò nell'orecchio: – Chi fa da sé fa per tre!

Il calciatore si provò a giocare al pallone da solo, ma era una noia da morire e non poteva vincere mai, perciò fece ritorno in squadra. Il Vecchio Proverbio, per il disappunto, si ammalò e dovettero levargli le tonsille.

Una volta tre Vecchi Proverbi si incontrarono e avevano appena aperto bocca che cominciarono a litigare:

– Chi bene incomincia è a metà dell'opera, – disse il primo.

– Niente affatto, – disse il secondo, – la virtú sta nel mezzo.

– Gravissimo errore, – esclamò il terzo, – il dolce è in fondo.

Si presero per i capelli e sono ancora là che se le dànno.

Poi c'è la storia di quel Vecchio Proverbio che aveva voglia di una pera, e si mise sotto l'albero, e intanto pensava: «Quando la pera è matura casca da sé».

Ma la pera cascò soltanto quando fu marcia fradicia, e si spiaccicò sulla zucca del Vecchio Proverbio, che per il dispiacere diede le dimissioni.

L'Apollonia della marmellata

A Sant'Antonio, sul Lago Maggiore, viveva una donnina tanto brava a fare la marmellata, cosí brava che i suoi servigi erano richiesti in Valcuvia, in Valtravaglia, in Val Dumentina e in Val Poverina. La gente, quand'era la stagione, arrivava da tutte le valli, si sedeva sul muricciolo a guardare il panorama del lago, coglieva qualche lampone dai cespugli, poi chiamava la donnina della marmellata:

– Apollonia!

– Che c'è?

– Me la fareste una marmellata di mirtilli?

– Eccomi.

– Mi aiutereste a fare una buona marmellata di prugne?

– Subito.

L'Apollonia, quella donnina, aveva proprio le mani d'oro, e faceva le migliori marmellate del Varesotto e del Canton Ticino.

Una volta capitò da lei una donnetta di

Arcumeggia, cosí povera che per fare la marmellata non aveva neanche un cartoccio di ghiande di pesca, e allora, strada facendo, si era riempito il grembiule di ricci di castagne.

– Apollonia, me la fareste la marmellata?

– Coi ricci?

– Non ho trovato altro...

– Pazienza, proverò.

E l'Apollonia tanto fece che dai ricci delle castagne cavò la meraviglia delle marmellate.

Un'altra volta quella donnina di Arcumeggia non trovò nemmeno i ricci delle castagne, perché le foglie secche, cadendo, li avevano ricoperti; perciò arrivò con un grembiule pieno di ortiche.

– Apollonia, me la fate la marmellata?

– Con le ortiche?

– Non ho trovato altro...

– Pazienza, si vedrà.

E l'Apollonia prese le ortiche, le inzuccherò, le fece bollire come sapeva lei e ne ottenne una marmellata da leccarsi le dita.

Perché l'Apollonia, quella donnina, aveva le mani d'oro e d'argento, e avrebbe fatto la marmellata anche con i sassi.

Una volta passò di lí l'imperatore e volle provare anche lui la marmellata dell'Apollonia, e lei gliene dette un piattino, ma l'imperatore dopo la prima cucchiaiata si disgustò, perché c'era caduta dentro una mosca.

– Mi fa schifo, – disse l'imperatore.

– Se non era buona, la mosca non ci cascava, – disse l'Apollonia.

Ma ormai l'imperatore si era arrabbiato e ordinò ai suoi soldati di tagliare le mani all'Apollonia.

Allora la gente si ribellò e mandò a dire all'imperatore che se lui faceva tagliare le mani all'Apollonia loro gli avrebbero tagliato la corona con tutta la testa, perché teste per fare l'imperatore se ne trovano a tutte le cantonate, ma mani d'oro come quelle dell'Apollonia sono ben piú preziose e rare.

E l'imperatore dovette far fagotto.

La vecchia zia Ada

La vecchia zia Ada, quando fu molto vecchia, andò ad abitare al ricovero dei vecchi, in una stanzina con tre letti, dove già stavano due vecchine, vecchie quanto lei. La vecchia zia Ada si scelse subito una poltroncina accanto alla finestra e sbriciolò un biscotto secco sul davanzale.

– Brava, cosí verranno le formiche, – dissero le altre due vecchine, stizzite.

Invece dal giardino del ricovero venne un uccellino, beccò di gusto il biscotto e volò via.

– Ecco, – borbottarono le vecchine, – che cosa ci avete guadagnato? Ha beccato ed è volato via. Proprio come i nostri figli che se ne sono andati per il mondo, chissà dove, e di noi che li abbiamo allevati non si ricordano piú.

La vecchia zia Ada non disse nulla, ma tutte le mattine sbriciolava un biscotto sul davanzale e l'uccellino veniva a beccarlo, sempre alla stessa ora, puntuale come un pensionante, e se non era pronto bisognava vedere come si innervosiva.

Dopo qualche tempo l'uccellino portò anche i suoi piccoli, perché aveva fatto il nido e gliene erano nati quattro, e anche loro beccarono di gusto il biscotto della vecchia zia Ada, e venivano tutte le mattine, e se non lo trovavano facevano un gran chiasso.

– Ci sono i vostri uccellini, – dicevano allora le vecchine alla vecchia zia Ada, con un po' d'invidia. E lei correva, per modo di dire, a passettini passettini, fino al suo cassettone, scovava un biscotto secco tra il cartoccio del caffè e quello delle caramelle all'anice e intanto diceva:

– Pazienza, pazienza, sono qui che arrivo.

– Eh, – mormoravano le altre vecchine, – se bastasse mettere un biscotto sul davanzale per far tornare i nostri figli. E i vostri, zia Ada, dove sono i vostri?

La vecchia zia Ada non lo sapeva piú: forse in Austria, forse in Australia; ma non si lasciava confondere, spezzava il biscotto agli uccellini e diceva loro:

– Mangiate, su, mangiate, altrimenti non avrete abbastanza forza per volare.

E quando avevano finito di beccare il biscotto:

– Su, andate, andate. Cosa aspettate ancora? Le ali sono fatte per volare.

Le vecchine crollavano il capo e pensavano che la vecchia zia Ada fosse un po' matta, perché vecchia e povera com'era aveva ancora qualcosa da regalare e non pretendeva nemmeno che le dicessero grazie.

Poi la vecchia zia Ada morí, e i suoi figli lo seppero solo dopo un bel po' di tempo, e non valeva piú la pena di mettersi in viaggio per il funerale. Ma gli uccellini tornarono per tutto l'inverno sul davanzale della finestra e protestavano perché la vecchia zia Ada non aveva preparato il biscotto.

Il sole e la nuvola

Il sole viaggiava in cielo, allegro e glorioso sul suo carro di fuoco, gettando i suoi raggi in tutte le direzioni, con grande rabbia di una nuvola di umore temporalesco, che borbottava:

– Sciupone, mano bucata, butta via, butta via i tuoi raggi, vedrai quanti te ne rimangono.

Nelle vigne ogni acino d'uva che maturava sui tralci rubava un raggio al minuto, o anche due; e non c'era filo d'erba, o ragno, o fiore, o goccia d'acqua, che non si prendesse la sua parte.

– Lascia, lascia che tutti ti derubino: vedrai come ti ringrazieranno, quando non avrai piú niente da farti rubare.

Il sole continuava allegramente il suo viaggio, regalando raggi a milioni, a miliardi, senza contarli.

Solo al tramonto contò i raggi che gli rimanevano: e guarda un po', non gliene mancava nemmeno uno. La nuvola, per la sorpresa, si sciolse in grandine. Il sole si tuffò allegramente nel mare.

Il re che doveva morire

Una volta un re doveva morire. Era un re assai potente, ma era malato a morte e si disperava: – Possibile che un re tanto potente debba morire? Che fanno i miei maghi? Perché non mi salvano?

Ma i maghi erano scappati per paura di perdere la testa. Ne era rimasto uno solo, un vecchio mago a cui nessuno dava retta, perché era piuttosto bislacco e forse anche un po' matto. Da molti anni il re non lo consultava, ma stavolta lo mandò a chiamare.

– Puoi salvarti, – disse il mago, – ma ad un patto: che tu ceda per un giorno il tuo trono all'uomo che ti somiglia piú di tutti gli altri. Lui, poi, morirà al tuo posto.

Subito venne fatto un bando in tutto il reame: – Coloro che somigliano al re si presentino a Corte entro ventiquattr'ore, pena la vita.

Se ne presentarono molti: alcuni avevano la barba uguale a quella del re, ma avevano il naso un tantino piú lungo o piú corto, e il mago li scartava; altri somigliavano al re come un'arancia somiglia a un'altra nella cassetta del fruttivendolo, ma il mago li scartava perché gli mancava un dente, o perché avevano un neo sulla schiena.

– Ma tu li scarti tutti, – protestava il re col suo mago. – Lasciami provare con uno di loro, per cominciare.

– Non ti servirà a niente, – ribatteva il mago.

Una sera il re e il suo mago passeggiavano sui bastioni della città, e a un tratto il mago gridò: – Ecco, ecco l'uomo che ti somiglia piú di tutti gli altri!

E cosí dicendo indicava un mendicante storpio, gobbo, mezzo cieco, sporco e pieno di croste.

– Ma com'è possibile, – protestò il re, – tra noi due c'è un abisso.

– Un re che deve morire, – insisteva il mago, – somiglia soltanto al piú povero, al piú disgraziato della città. Presto, cambia i tuoi vestiti con i suoi per un giorno, mettilo sul trono e sarai salvo.

Ma il re non volle assolutamente ammettere di assomigliare al mendicante. Tornò al palazzo tutto imbronciato e quella sera stessa morí, con la corona in testa e lo scettro in pugno.

Il mago delle comete

Una volta un mago inventò una macchina per fare le comete. Somigliava un tantino alla macchina per tagliare il brodo, ma non era la stessa, e serviva per fabbricare comete a volontà, grandi o piccole, con la coda semplice o doppia, con la luce gialla o rossa, eccetera.

Il mago girava per paesi e città, non mancava mai a un mercato, si presentava anche alla Fiera di Milano e alla Fiera dei cavalli, a Verona, e dappertutto mostrava la sua macchina e spiegava com'era facile farla funzionare. Le comete uscivano piccole, con un filo per tenerle, poi man mano che salivano in alto diventavano della grandezza voluta, ed anche le piú grandi non erano piú difficili da governare di un aquilone. La gente si affollava intorno al mago, come si affolla sempre intorno a quelli che mostrano una macchina al mercato, per fare gli spaghetti piú fini o per pelare le patate, ma non

comprava mai neanche una cometina piccola cosí.

– Se era un palloncino, magari, – diceva una buona donna, – ma se gli compro una cometa il mio bambino chissà che guai combina.

E il mago: – Ma fatevi coraggio! I vostri bambini andranno sulle stelle, cominciate ad abituarli da piccoli.

– No, no, grazie. Sulle stelle ci andrà qualcun altro, mio figlio no di sicuro.

– Comete! Comete vere! Chi ne vuole?

Ma non le voleva nessuno.

Il povero mago, a furia di saltar pasti, perché non rimediava una lira, era ridotto pelle e ossa. Una sera che aveva piú fame del solito trasformò la sua macchina per fare le comete in una caciottella toscana e se la mangiò.

Il pescatore di Cefalú

Una volta un pescatore di Cefalú, nel tirare in barca la rete, la sentí pesante pesante, e chissà cosa credeva di trovarci. Invece ci trovò un pesciolino lungo un mignolo, lo afferrò con rabbia e stava per ributtarlo in mare quando udí una vocina sottile che diceva:

– Ahi, non mi stringere cosí forte.

Il pescatore si guardò intorno e non vide nessuno, né vicino né lontano, e alzò il braccio per buttare il pesce, ma ecco di nuovo la vocina:

– Non mi buttare, non mi buttare!

Allora capí che la voce veniva dal pesce, lo aprí e ci trovò dentro un bambino piccolo piccolo, ma ben fatto, coi piedi, le mani, la faccina, tutto proprio a posto, solo che dietro la schiena aveva due pinne, come i pesci.

– Chi sei?

– Sono il bambino di mare.

– E che vuoi da me?

– Se mi terrai con te ti porterò fortuna.

Il pescatore sospirò:

– Ho già tanti figli da mantenere, proprio a me doveva toccare questa fortuna di averne da sfamare un altro.

– Vedrai, – disse il bambino di mare.

Il pescatore lo portò a casa, gli fece fare una camicina per nascondere le pinne e lo mise a dormire nella culla del suo ultimo nato, e non occupava nemmeno mezzo cuscino con tutta la persona.

Quello che mangiava, però, era uno spavento: mangiava piú lui di tutti gli altri figli del pescatore, che erano sette, uno piú affamato dell'altro.

– Una bella fortuna davvero, – sospirava il pescatore.

– Andiamo a pescare? – disse la mattina dopo il bambino di mare con la sua vocetta sottile sottile.

Andarono, e il bambino di mare disse: – Rema diritto fin che te lo dico io. Ecco, siamo arrivati. Butta la rete qua sotto.

Il pescatore ubbidí, e quando ritirò la rete la vide piena come non l'aveva mai vista, ed era tutto pesce di prima qualità.

Il bambino di mare batté le mani: – Te l'avevo detto, io so dove stanno i pesci.

In breve tempo il pescatore arricchí, comprò una seconda barca, poi una terza, poi tante, e tutte andavano in mare a buttare le reti per lui, e le reti si riempivano di pesce fino, e il pescatore guadagnava tanti soldi che dovette far studiare da ragioniere uno dei suoi figli per contarli.

Diventando ricco, però, il pescatore dimenticò quel che aveva sofferto quando era povero. Trattava male i suoi marinai, li pagava poco, e se protestavano li licenziava.

– Come faremo a sfamare i nostri bambini? – essi si lamentavano.

– Dategli dei sassi, – egli rispondeva, – vedrete che li digeriranno.

Il bambino di mare, che vedeva tutto e sentiva tutto, una sera gli disse:

– Bada che quel che è stato fatto si può disfare.

Ma il pescatore rise e non gli diede retta. Anzi, prese il bambino di mare, lo rinchiuse in una grossa conchiglia e lo gettò in acqua.

E chissà quanto tempo dovrà passare prima che il bambino di mare possa liberarsi. Voi cosa fareste al suo posto?

Il re Mida

Il re Mida era un grande spendaccione, tutte le sere dava feste e balli, fin che si trovò senza un centesimo. Andò dal mago Apollo, gli raccontò i suoi guai e Apollo gli fece questo incantesimo: – Tutto quello che le tue mani toccano deve diventare oro.

Il re Mida fece un salto per la contentezza e tornò di corsa alla sua automobile, ma non fece in tempo a toccare la maniglia della portiera che subito la macchina diventò tutta d'oro: ruote d'oro, vetri d'oro, motore d'oro. Era diventata d'oro anche la benzina, cosí la macchina non camminava piú e bisognò far venire un carro coi buoi per trasportarla.

Appena a casa il re Mida andava in giro per le stanze a toccare piú cose che poteva, tavoli, armadi, sedie, e tutto diventava d'oro. A un certo punto ebbe sete, si fece portare un bicchiere d'acqua, ma il bicchiere diventò d'oro, l'acqua pure, e se volle bere dovette lasciarsi imboccare dal suo servo col cucchiaio.

Venne l'ora di andare a tavola. Toccava la forchetta e diventava d'oro e tutti gli invitati battevano le mani e dicevano: – Maestà, toccatemi i bottoni della giacca, toccatemi questo ombrello.

Il re Mida li faceva contenti, ma quando prese il pane per mangiare anche quello diventò d'oro e se volle cavarsi l'appetito dovette farsi imboccare dalla regina. Gli invitati si nascondevano sotto il tavolo a ridere e il re Mida si arrabbiò, ne acchiappò uno e gli fece diventare d'oro il naso, cosí non poteva piú soffiarselo.

Venne l'ora di andare a dormire, ma il re Mida, senza volerlo, toccò il cuscino, toccò le lenzuola e il materasso, diventarono d'oro massiccio ed erano troppo duri per dormirci. Gli toccò di passare la notte seduto su una poltrona, con le braccia alzate per non toccare niente, e la mattina dopo era stanco morto. Corse subito dal mago Apollo per farsi disfare l'incantesimo, e Apollo lo accontentò.

– Va bene, – gli disse, – ma sta' bene attento, perché per far passare l'incantesimo ci vogliono sette ore e sette minuti giusti, e in questo tempo tutto quello che toccherai diventerà cacca di mucca.

Il re Mida se ne andò tutto consolato, e stava bene attento all'orologio, per non toccare niente prima che fossero passati sette ore e sette minuti.

Purtroppo il suo orologio correva un po' piú del necessario, e andava avanti un minuto ogni ora. Quando ebbe contato sette ore e sette minuti il re Mida aprí la macchina e ci montò, e subito si trovò seduto in mezzo a un gran mucchio di cacca di mucca, perché mancavano ancora sette minuti alla fine dell'incantesimo.

Il semaforo blu

Una volta il semaforo che sta a Milano in piazza del Duomo fece una stranezza. Tutte le sue luci, ad un tratto, si tinsero di blu, e la gente non sapeva piú come regolarsi.

– Attraversiamo o non attraversiamo? Stiamo o non stiamo?

Da tutti i suoi occhi, in tutte le direzioni, il semaforo diffondeva l'insolito segnale blu, di un blu che cosí blu il cielo di Milano non era stato mai.

In attesa di capirci qualcosa gli automobilisti strepitavano e strombettavano, i motociclisti facevano ruggire lo scappamento e i pedoni piú grassi gridavano: – Lei non sa chi sono io!

Gli spiritosi lanciavano frizzi: – Il verde se lo sarà mangiato il commendatore, per farci una villetta in campagna.

– Il rosso lo hanno adoperato per tingere i pesci ai Giardini.

– Col giallo sapete che ci fanno? Allungano l'olio d'oliva.

Finalmente arrivò un vigile e si mise lui in mezzo all'incrocio a districare il traffico. Un altro vigile cercò la cassetta dei comandi per riparare il guasto, e tolse la corrente.

Prima di spegnersi il semaforo blu fece in tempo a pensare:

«Poveretti! Io avevo dato il segnale di "via libera" per il cielo. Se mi avessero capito, ora tutti saprebbero volare. Ma forse gli è mancato il coraggio».

Il topo che mangiava i gatti

Un vecchio topo di biblioteca andò a trovare i suoi cugini, che abitavano in solaio e conoscevano poco il mondo.

– Voi conoscete poco il mondo, – egli diceva ai suoi timidi parenti, – e probabilmente non sapete nemmeno leggere.

– Eh, tu la sai lunga, – sospiravano quelli.

– Per esempio, avete mai mangiato un gatto?

– Eh, tu la sai lunga. Ma da noi sono i gatti che mangiano i topi.

– Perché siete ignoranti. Io ne ho mangiato piú d'uno e vi assicuro che non hanno detto neanche: Ahi!

– E di che sapevano?

– Di carta e d'inchiostro, a mio parere. Ma questo è niente. Avete mai mangiato un cane?

– Per carità.

– Io ne ho mangiato uno proprio ieri. Un cane lupo. Aveva certe zanne... Bene, si è

lasciato mangiare quieto quieto e non ha detto neanche: Ahi!

– E di che sapeva?

– Di carta, di carta. E un rinoceronte l'avete mai mangiato?

– Eh, tu la sai lunga. Ma noi un rinoceronte non l'abbiamo visto mai. Somiglia al parmigiano o al gorgonzola?

– Somiglia a un rinoceronte, naturalmente. E avete mai mangiato un elefante, un frate, una principessa, un albero di Natale?

In quel momento il gatto, che era stato ad ascoltare dietro un baule, balzò fuori con un miagolio minaccioso. Era un gatto vero, di carne e d'ossa, con baffi e artigli. I topolini volarono a rintanarsi, tranne il topo di biblioteca, che per la sorpresa era rimasto immobile sulle sue zampe come un monumentino. Il gatto lo agguantò e cominciò a giocare con lui.

– Tu saresti il topo che mangia i gatti?

– Io, Eccellenza... Lei deve comprendere... Stando sempre in libreria...

– Capisco, capisco. Li mangi in figura, stampati nei libri.

– Qualche volta, ma solo per ragioni di studio.

– Certo. Anch'io apprezzo la letteratura. Ma non ti pare che avresti dovuto studiare un pochino anche dal vero? Avresti imparato che non tutti i gatti sono fatti di carta, e non tutti i rinoceronti si lasciano rosicchiare dai topi.

Per fortuna del povero prigioniero il gatto ebbe un attimo di distrazione, perché aveva visto passare un ragno sul pavimento. Il topo di biblioteca, con due salti, tornò tra i suoi libri, e il gatto dovette accontentarsi di mangiare il ragno.

Abbasso il nove

Uno scolaro faceva le divisioni:

– Il tre nel tredici sta quattro volte con l'avanzo di uno. Scrivo quattro al quoto. Tre per quattro dodici, al tredici uno. Abbasso il nove...

– Ah no, – gridò a questo punto il nove.

– Come? – domandò lo scolaro.

– Tu ce l'hai con me: perché hai gridato «abbasso il nove»? Che cosa ti ho fatto di male? Sono forse un nemico pubblico?

– Ma io...

– Ah, lo immagino bene, avrai la scusa pronta. Ma a me non mi va giú lo stesso. Grida «abbasso il brodo di dadi», «abbasso lo sceriffo», e magari anche «abbasso l'aria fritta», ma perché proprio «abbasso il nove»?

– Scusi, ma veramente...

– Non interrompere, è cattiva educazione. Sono una semplice cifra, e qualsiasi numero di due cifre mi può mangiare il risotto in testa, ma anch'io ho la mia dignità e voglio essere rispettato. Prima di tutto dai bambini che hanno ancora il moccio al naso. Insomma, abbassa il tuo naso, abbassa gli avvolgibili, ma lasciami stare.

Confuso e intimidito, lo scolaro non abbassò il nove, sbagliò la divisione e si prese un brutto voto. Eh, qualche volta non è proprio il caso di essere troppo delicati.

Tonino l'invisibile

Una volta un ragazzo di nome Tonino andò a scuola che non sapeva la lezione ed era molto preoccupato al pensiero che il maestro lo interrogasse.

«Ah, – diceva tra sé, – se potessi diventare invisibile...»

Il maestro fece l'appello, e quando arrivò al nome di Tonino, il ragazzo rispose: – Presente! – ma nessuno lo sentí, e il maestro disse: – Peccato che Tonino non sia venuto, avevo giusto pensato di interrogarlo. Se è ammalato, speriamo che non sia niente di grave.

Cosí Tonino comprese di essere diventato invisibile, come aveva desiderato. Per la gioia spiccò un salto dal suo banco e andò a finire nel cestino della carta straccia. Si rialzò e si aggirò qua e là per la classe, tirando i capelli a questo e a quello e rovesciando i calamai. Nascevano rumorose proteste, litigi a non finire. Gli scolari si accusavano l'un l'altro di quei dispetti, e non potevano sospettare che la colpa era invece di Tonino l'invisibile.

Quando si fu stancato di quel gioco Tonino uscí dalla scuola e salí su un filobus, naturalmente senza pagare il biglietto, perché il fattorino non poteva vederlo. Trovò un posto libero e si accomodò. Alla fermata successiva salí una signora con la borsa della spesa e fece per sedersi proprio in quel sedile, che ai suoi occhi era libero. Invece sedette sulle ginocchia di Tonino, che si sentí soffocare. La signora gridò: – Che tranello è questo? Non ci si può piú nemmeno sedere? Guardate, faccio per posare la borsa e rimane sospesa per aria.

La borsa in realtà era posata sulle ginocchia di Tonino. Nacque una gran discussione, e quasi tutti i passeggeri pronunciarono parole di fuoco contro l'azienda tranviaria.

Tonino scese in centro, si infilò in una pasticceria e cominciò a servirsi a volontà, pescando a due mani tra maritozzi, bignè al cioccolato e paste d'ogni genere. La commessa, che vedeva sparire le paste dal banco, diede la colpa a un dignitoso signore che stava comprando delle caramelle col buco per una vecchia zia. Il signore protestò: – Io un ladro? Lei non sa con chi parla. Lei non sa chi era mio padre. Lei non sa chi era mio nonno!

– Non voglio nemmeno saperlo, – rispose la commessa.

– Come, si permette di insultare mio nonno!

Fu una lite spaventosa. Corsero le guardie. Tonino l'invisibile scivolò tra le gambe del tenente e si avviò verso la scuola, per assistere all'uscita dei suoi compagni. Difatti li vide uscire, anzi, rotolare giú a valanga dai gradini della scuola, ma essi non lo videro affatto. Tonino si affannava invano a rincorrere questo e quello, a tirare i capelli al suo amico Roberto, a offrire un lecca-lecca al suo amico Guiscardo. Non lo vedevano, non gli davano retta per nulla, i loro sguardi lo trapassavano come se fosse stato di vetro.

Stanco e un po' scoraggiato Tonino rincasò. Sua madre era al balcone ad aspettarlo. – Sono qui, mamma! – gridò Tonino. Ma essa non lo vide e non lo udí, e continuava a scrutare ansiosamente la strada alle sue spalle.

– Eccomi, papà, – esclamò Tonino, quando fu in casa, sedendosi a tavola al suo solito posto. Ma il babbo mormorava, inquieto: – Chissà perché Tonino tarda tanto. Non gli sarà mica successa qualche disgrazia?

– Ma sono qui, sono qui! Mamma, papà! – gridava Tonino. Ma essi non udivano la sua voce.

Tonino ormai piangeva, ma a che servono le lacrime, se nessuno può vederle?

– Non voglio piú essere invisibile, – si lamentava Tonino, col cuore in pezzi. – Voglio che mio padre mi veda, che mia madre mi sgridi, che il maestro mi interroghi! Voglio giocare con i miei amici! È brutto essere invisibili, è brutto star soli.

Uscí sulle scale e scese lentamente in cortile.

– Perché piangi? – gli domandò un vecchietto, seduto a prendere il sole su una panchina.

– Ma lei mi vede? – domandò Tonino, pieno d'ansia.

– Ti vedo sí. Ti vedo tutti i giorni andare e tornare da scuola.

– Ma io non l'ho mai visto, lei.

– Eh, lo so. Di me non si accorge nessuno. Un vecchio pensionato, tutto solo, perché mai i ragazzi dovrebbero guardarlo? Io per voi sono proprio come l'uomo invisibile.

– Tonino! – gridò in quel momento la mamma dal balcone.

– Mamma, mi vedi?

– Ah, non dovrei vederti, magari. Vieni, vieni su e sentirai il babbo.

– Vengo subito, mamma, – gridò Tonino pieno di gioia.

– Non ti fanno paura gli sculaccioni? – rise il vecchietto.

Tonino gli volò al collo e gli diede un bacio.

– Lei mi ha salvato, – disse.

– Eh, che esagerazione, – disse il vecchietto.

Tante domande

C'era una volta un bambino che faceva tante domande, e questo non è certamente un male, anzi è un bene. Ma alle domande di quel bambino era difficile dare risposta.

Per esempio, egli domandava: – Perché i cassetti hanno i tavoli?

La gente lo guardava, e magari rispondeva:

– I cassetti servono per metterci le posate.

– Lo so a che cosa servono i cassetti, ma non so perché i cassetti hanno i tavoli.

La gente crollava il capo e tirava via. Un'altra volta lui domandava:

– Perché le code hanno i pesci?

Oppure:

– Perché i baffi hanno i gatti?

La gente crollava il capo e se ne andava per i fatti suoi.

Il bambino, crescendo non cessava mai di fare domande. Anche quando diventò un uomo andava intorno a chiedere questo e quello. Siccome nessuno gli rispondeva, si ritirò in una casetta in cima a una montagna e tutto il tempo pensava delle domande e le scriveva in un quaderno, poi ci rifletteva per trovare la risposta, ma non la trovava.

Per esempio scriveva:

«Perché l'ombra ha un pino?»

«Perché le nuvole non scrivono lettere?»

«Perché i francobolli non bevono birra?»

A scrivere tante domande gli veniva il mal di testa, ma lui non ci badava. Gli venne anche la barba, ma lui non se la tagliò. Anzi si domandava: «Perché la barba ha la faccia?»

Insomma era un fenomeno. Quando morí, uno studioso fece delle indagini e scoprí che quel tale fin da piccolo si era abituato a mettere le calze a rovescio e non era mai riuscito una volta a infilarsele dalla parte giusta, e cosí non aveva mai potuto imparare a fare le domande giuste. A tanta gente succede come a lui.

Il buon Gilberto

Il buon Gilberto era molto desideroso di imparare e perciò stava sempre attento a quello che dicevano i grandi.

Una volta sentí dire da una donna: – Guardate la Filomena come vuol bene alla sua mamma: le porterebbe l'acqua nelle orecchie.

Il buon Gilberto rifletté: «Magnifiche parole, le voglio proprio imparare a memoria».

Qualche tempo dopo la sua mamma gli disse: – Gilberto, vammi a prendere un secchio d'acqua alla fontana.

– Subito, mamma, – disse Gilberto. Ma intanto pensava: «Voglio mostrare alla mamma quanto le voglio bene. Invece che nel secchio, l'acqua gliela porterò nelle orecchie».

Andò alla fontana, ci mise sotto la testa e si riempí d'acqua un orecchio. Ce ne stava quanto in un ditale e per portarla fino a casa il buon Gilberto doveva tenere la testa tutta storta.

– Arriva quest'acqua? – brontolò la mamma che ne aveva bisogno per fare il bucato.

– Subito, mamma, – rispose Gilberto, tutto affannato. Ma per rispondere drizzò la testa e l'acqua uscí dall'orecchio e gli andò giú per il collo. Corse alla fontana a riempire l'altro orecchio: ci stava esattamente tanta acqua come nel primo e il buon Gilberto doveva tenere la testa storta dall'altra parte e prima di arrivare a casa l'acqua si era tutta versata.

– Arriva quest'acqua? – domandò la mamma stizzita.

«Forse ho le orecchie troppo piccole», pensò rattristato il buon Gilberto. Intanto però sua madre aveva perso la pazienza, credeva che Gilberto se ne fosse stato a giocherellare alla fontana e gli allungò due scapaccioni, uno per orecchio.

Povero buon Gilberto.

Si prese in santa pace i due scapaccioni e decise che un'altra volta avrebbe portato l'acqua col secchio.

La parola piangere

Questa storia non è ancora accaduta, ma accadrà sicuramente domani. Ecco cosa dice.

Domani una brava, vecchia maestra condusse i suoi scolari, in fila per due, a visitare il Museo del Tempo Che Fu, dove sono raccolte le cose di una volta che non servono piú, come la corona del re, lo strascico della regina, il tram di Monza, eccetera.

In una vetrinetta un po' polverosa c'era la parola *Piangere*.

Gli scolaretti di Domani lessero il cartellino, ma non capivano.

– Signora, che vuol dire?

– È un gioiello antico?

– Apparteneva forse agli Etruschi?

La maestra spiegò che una volta quella parola era molto usata, e faceva male. Mostrò una fialetta in cui erano conservate delle lacrime: chissà, forse le aveva versate uno schiavo battuto dal suo padrone, forse un bambino che non aveva casa.

– Sembra acqua, – disse uno degli scolari.

– Ma scottava e bruciava, – disse la maestra.

– Forse la facevano bollire, prima di adoperarla?

Gli scolaretti proprio non capivano, anzi cominciavano già ad annoiarsi. Allora la buona maestra li accompagnò a visitare altri reparti del Museo, dove c'erano da vedere cose piú facili, come: l'inferriata di una prigione, un cane da guardia, il tram di Monza, eccetera, tutta roba che nel felice paese di Domani non esisteva piú.

La febbre mangina

Quando la bambina è malata anche le sue bambole debbono ammalarsi per farle compagnia, il nonno le visita, prescrive le medicine del caso e fa loro moltissime iniezioni con una penna a sfera.

– Questo bambino è malato, dottore.

– Vediamo un po'. Eh sí, eh già. Mi pare che abbia una buona brontolite.

– È grave?

– Gravissimo. Gli dia da bere questo sciroppo di matita blu e gli faccia dei massaggi con la carta di una caramella all'anice.

– E quest'altro bambino non le pare malaticcio anche lui?

– Malatissimo, si vede senza cannocchiale.

– E che cosa ha?

– Un po' di raffreddore, un po' di raffreddino e due etti di fragolite acuta.

– Mamma mia! Morirà?

– Non c'è pericolo. Gli dia queste pastiglie di stupidina sciolte in un bicchiere di acqua sporca, però prenda un bicchiere verde perché i bicchieri rossi gli farebbero venire il mal di denti.

Una mattina la bambina si sveglia guarita, il dottore le dice che può alzarsi ma il nonno vuole visitarla personalmente, mentre la mamma prepara i vestiti.

– Sentiamo un po'... dica trentatre... dica perepepè... provi a cantare... tutto a posto: una magnifica febbre mangina.

La domenica mattina

Il signor Cesare era molto abitudinario. Ogni domenica mattina si alzava tardi, girellava per casa in pigiama e alle undici si radeva la barba, lasciando aperta la porta del bagno.

Quello era il momento atteso da Francesco, che aveva solo sei anni, ma mostrava già molta inclinazione per la medicina e la chirurgia. Francesco prendeva il pacchetto del cotone idrofilo, la bottiglietta dell'alcool denaturato, la busta dei cerotti, entrava in bagno e si sedeva sullo sgabello ad aspettare.

– Che c'è? – domandava il signor Cesare, insaponandosi la faccia. Gli altri giorni della settimana si radeva col rasoio elettrico, ma la domenica usava ancora, come una volta, il sapone e le lamette.

– Che c'è?

Francesco si torceva sul seggiolino, serio serio, senza rispondere.

– Dunque?

– Be', – diceva Francesco, – può darsi che tu ti tagli. Allora io ti farò la medicazione.

– Già, – diceva il signor Cesare.

– Ma non tagliarti apposta come domenica scorsa, – diceva Francesco, severamente, – altrimenti non vale.

– Sicuro, – diceva il signor Cesare.

Ma a tagliarsi senza farlo apposta non ci riusciva. Tentava di sbagliare senza volerlo, ma è difficile e quasi impossibile. Faceva di tutto per essere disattento, ma non poteva. Finalmente, qui o là, il taglietto arrivava e Francesco poteva entrare in azione. Asciugava la stilla di sangue, disinfettava, attaccava il cerotto.

Cosí ogni domenica il signor Cesare regalava una stilla di sangue a suo figlio, e Francesco era sempre piú convinto di avere un padre distratto.

A dormire, a svegliarsi

C'era una volta una bambina che ogni sera, al momento di andare a letto, diventava piccola piccola:

– Mamma, – diceva, – sono una formica.

E la mamma capiva che era ora di metterla a dormire.

Allo spuntare del sole la bambina si svegliava, ma era ancora piccolissima, ci stava tutta sul cuscino e ne avanzava un pezzo.

– Alzati, – diceva la mamma.

– Non posso, – rispondeva la bambina, – non posso, sono ancora troppo piccola. Adesso sono come una farfalla. Aspetta che ricresca.

E dopo un po' esclamava: – Ecco, ora sono ricresciuta.

Con uno strillo balzava dal letto e cominciava la nuova giornata.

Giacomo di cristallo

Una volta, in una città lontana, venne al mondo un bambino trasparente. Attraverso le sue membra si poteva vedere come attraverso l'aria e l'acqua. Era di carne e d'ossa e pareva di vetro, e se cadeva non andava in pezzi, ma al piú si faceva sulla fronte un bernoccolo trasparente.

Si vedeva il suo cuore battere, si vedevano i suoi pensieri guizzare come pesci colorati nella loro vasca.

Una volta, per sbaglio, il bambino disse una bugia, e subito la gente poté vedere come una palla di fuoco dietro la sua fronte: ridisse la verità e la palla di fuoco si dissolse. Per tutto il resto della sua vita non disse piú bugie.

Un'altra volta un amico gli confidò un segreto, e subito tutti videro come una palla nera che rotolava senza pace nel suo petto, e il segreto non fu piú tale.

Il bambino crebbe, diventò un giovanotto,

poi un uomo, e ognuno poteva leggere nei suoi pensieri e indovinare le sue risposte, quando gli faceva una domanda, prima che aprisse bocca.

Egli si chiamava Giacomo, ma la gente lo chiamava «Giacomo di cristallo», e gli voleva bene per la sua lealtà, e vicino a lui tutti diventavano gentili.

Purtroppo, in quel paese, salí al governo un feroce dittatore, e cominciò un periodo di prepotenze, di ingiustizie e di miseria per il popolo. Chi osava protestare spariva senza lasciar traccia. Chi si ribellava era fucilato. I poveri erano perseguitati, umiliati e offesi in cento modi.

La gente taceva e subiva, per timore delle conseguenze.

Ma Giacomo non poteva tacere. Anche se non apriva bocca, i suoi pensieri parlavano per lui: egli era trasparente e tutti leggevano dietro la sua fronte pensieri di sdegno e di condanna per le ingiustizie e le violenze del tiranno. Di nascosto, poi, la gente si ripeteva i pensieri di Giacomo e prendeva speranza.

Il tiranno fece arrestare Giacomo di cristallo e ordinò di gettarlo nella piú buia prigione.

Ma allora successe una cosa straordinaria. I muri della cella in cui Giacomo era stato rinchiuso diventarono trasparenti, e dopo di loro anche i muri del carcere, e infine anche le mura esterne. La gente che passava accanto alla prigione vedeva Giacomo seduto sul suo sgabello, come se anche la prigione fosse di cristallo, e continuava a leggere i suoi pensieri. Di notte la prigione spandeva intorno una grande luce e il tiranno nel suo palazzo faceva tirare tutte le tende per non vederla, ma non riusciva ugualmente a dormire. Giacomo di cristallo, anche in catene, era piú forte di lui, perché la verità è piú forte di qualsiasi cosa, piú luminosa del giorno, piú terribile di un uragano.

Le scimmie in viaggio

Un giorno le scimmie dello zoo decisero di fare un viaggio di istruzione. Cammina, cammina, si fermarono e una domandò:

– Cosa si vede?

– La gabbia del leone, la vasca delle foche e la casa della giraffa.

– Come è grande il mondo, e come è istruttivo viaggiare.

Ripresero il cammino e si fermarono soltanto a mezzogiorno.

– Cosa si vede adesso?

– La casa della giraffa, la vasca delle foche e la gabbia del leone.

– Come è strano il mondo e come è istruttivo viaggiare.

Si rimisero in marcia e si fermarono solo al tramonto del sole.

– Che c'è da vedere?

– La gabbia del leone, la casa della giraffa e la vasca delle foche.

– Come è noioso il mondo: si vedono

sempre le stesse cose. E viaggiare non serve proprio a niente.

Per forza: viaggiavano, viaggiavano, ma non erano uscite dalla gabbia e non facevano che girare in tondo come i cavalli di una giostra.

Il signor Fallaninna

Il signor Fallaninna era molto delicato, ma tanto delicato che se un millepiedi camminava sul muro lui non poteva dormire per il rumore, e se una formica lasciava cadere un granellino di zucchero balzava in piedi spaventato e gridava: – Aiuto, il terremoto.

Naturalmente non poteva soffrire i bambini, i temporali e le motociclette, ma piú di tutto gli dava fastidio la polvere sotto i piedi, perciò non camminava mai neanche in casa, ma si faceva portare in braccio da un servitore molto robusto. Questo servitore si chiamava Guglielmo e dalla mattina alla sera il signor Fallaninna lo copriva di strilli:

– Piano, Guglielmo, fa ben pianino, se no mi rompo.

A non camminare mai diventava sempre piú grasso, e piú diventava grasso piú diventava delicato. Perfino i calli sulle mani di Guglielmo gli davano noia.

– Ma Guglielmo, quante volte ti devo dire

che per portarmi devi metterti i guantini.

Guglielmo sbuffava e si infilava a fatica certi guantoni che sarebbero andati larghi a un ippopotamo.

Ma il signor Fallaninna era ogni giorno piú pesante e il povero Guglielmo sudava d'inverno come d'estate, e una volta gli venne in mente:

– Che cosa succederebbe se buttassi giú il signor Fallaninna dal balcone?

Successe che proprio quel giorno il signor Fallaninna si era messo un vestito di lino bianco e quando Guglielmo lo buttò giú dal balcone cadde su una cacchettina di mosca e si fece una macchiolina sui calzoni. Per vederla ci voleva la lente, ma Fallaninna era tanto delicato che morí dal dispiacere.

Uno e sette

Ho conosciuto un bambino che era sette bambini.

Abitava a Roma, si chiamava Paolo e suo padre era un tranviere.

Però abitava anche a Parigi, si chiamava Jean e suo padre lavorava in una fabbrica di automobili.

Però abitava anche a Berlino, e lassú si chiamava Kurt, e suo padre era un professore di violoncello.

Però abitava anche a Mosca, si chiamava Juri, come Gagarin, e suo padre faceva il muratore e studiava matematica.

Però abitava anche a Nuova York, si chiamava Jimmy e suo padre aveva un distributore di benzina.

Quanti ne ho detti? Cinque. Ne mancano due: uno si chiamava Ciú, viveva a Shanghai e suo padre era un pescatore; l'ultimo si chiamava Pablo, viveva a Buenos Aires e suo padre faceva l'imbianchino.

Paolo, Jean, Kurt, Juri, Jimmy, Ciú e Pablo erano sette, ma erano sempre lo stesso bambino che aveva otto anni, sapeva già leggere e scrivere e andava in bicicletta senza appoggiare le mani sul manubrio.

Paolo era bruno, Jean biondo, e Kurt castano, ma erano lo stesso bambino. Juri aveva la pelle bianca, Ciú la pelle gialla, ma erano lo stesso bambino. Pablo andava al cinema in spagnuolo e Jimmy in inglese, ma erano lo stesso bambino, e ridevano nella stessa lingua.

Ora sono cresciuti tutti e sette, e non potranno piú farsi la guerra, perché tutti e sette sono un solo uomo.

L'uomo che rubava il Colosseo

Una volta un uomo si mise in testa di rubare il Colosseo di Roma, voleva averlo tutto per sé perché non gli piaceva doverlo dividere con gli altri. Prese una borsa, andò al Colosseo, aspettò che il custode guardasse da un'altra parte, riempí affannosamente la borsa di vecchie pietre e se le portò a casa. Il giorno dopo fece lo stesso, e tutte le mattine tranne la domenica faceva almeno un paio di viaggi o anche tre, stando sempre bene attento che le guardie non lo scoprissero. La domenica riposava e contava le pietre rubate, che si andavano ammucchiando in cantina.

Quando la cantina fu piena cominciò a riempire il solaio, e quando il solaio fu pieno nascondeva le pietre sotto i divani, dentro gli armadi e nella cesta della biancheria sporca. Ogni volta che tornava al Colosseo lo osservava ben bene da tutte le parti e concludeva fra sé: «Pare lo stesso, ma una certa differenza si nota. In quel punto là è già un po' piú piccolo». E asciugandosi il sudore grattava un pezzo di mattone da una gradinata, staccava una pietruzza dagli archi e riempiva la borsa. Passavano e ripassavano accanto a lui turisti in estasi, con la bocca aperta per la meraviglia, e lui ridacchiava di gusto, anche se di nascosto: – Ah, come spalancherete gli occhi il giorno che non vedrete piú il Colosseo.

Se andava dal tabaccaio, le cartoline a colori con la veduta del grandioso anfiteatro gli mettevano allegria, doveva fingere di soffiarsi il naso nel fazzoletto per non farsi vedere a ridere: – Ih! Ih! Le cartoline illustrate. Tra poco, se vorrete vedere il Colosseo, dovrete proprio accontentarvi delle cartoline.

Passarono i mesi e gli anni. Le pietre rubate si ammassavano ormai sotto il letto, riempivano la cucina lasciando solo uno stretto passaggio tra il fornello a gas e il lavandino, colmavano la vasca da bagno, avevano trasformato il corridoio in una trincea. Ma il Colosseo era sempre al suo posto, non gli mancava un arco: non sarebbe stato piú intero di cosí se una zanzara avesse lavorato a demolirlo con le sue zampette. Il povero ladro, invecchiando, fu preso dalla disperazione. Pensava: «Che io abbia sbagliato i miei calcoli? Forse avrei fatto meglio a rubare la cupola di San Pietro? Su, su, coraggio: quando si prende una decisione bisogna saper andare fino in fondo».

Ogni viaggio, ormai, gli costava sempre piú fatica e dolore. La borsa gli rompeva le braccia e gli faceva sanguinare le mani. Quando sentí che stava per morire si trascinò un'ultima volta fino al Colosseo e si arrampicò penosamente di gradinata in gradinata fin sul piú alto terrazzo. Il sole al tramonto colorava d'oro, di porpora e di viola le antiche rovine, ma il povero vecchio non poteva veder nulla, perché le lacrime e la stanchezza gli velavano gli occhi. Aveva sperato di rimaner solo, ma già dei turisti si affollavano sul terrazzino, gridando in lingue diverse la loro meraviglia. Ed ecco, tra tante voci, il vecchio ladro distinse quella argentina di un bimbo che gridava: – Mio! Mio!

Come stonava, com'era brutta quella parola lassú, davanti a tanta bellezza. Il vecchio, adesso, lo capiva, e avrebbe voluto dirlo al bambino, avrebbe voluto insegnargli a dire «nostro», invece che «mio», ma gli mancarono le forze.

Ascensore per le stelle

A tredici anni Romoletto venne assunto come aiuto garzone al bar Italia. Gli affidarono i servizi a domicilio, e tutto il giorno egli correva su e giú per strade e per scale, reggendo in equilibrio vassoi pericolosamente carichi di chicchere, tazze e bicchieri. Piú che altro gli davano fastidio le scale: a Roma, come del resto in altri posti del mondo, le portinaie sono gelose dei loro ascensori e ne vietano l'accesso, di persona o con cartelli, a baristi, lattai, fruttaroli e simili.

Una mattina telefonò al bar l'interno quattordici del numero centotre, voleva quattro birre e un tè ghiacciato, «ma subito, o li butto dalla finestra», aggiunse una voce burbera, ed era quella del vecchio marchese Venanzio, terrore dei fornitori.

L'ascensore del numero centotre era di quelli proibitissimi, ma Romoletto sapeva come ingannare la sorveglianza della portinaia, che sonnecchiava nella guardiola: sgattaiolò non visto nella cabina, infilò le cinque lire nell'apparecchio a scatto, schiacciò il bottone del quinto piano e l'ascensore partí cigolando. Ecco il primo piano, il secondo, il terzo. Dopo il quarto piano, invece di rallentare, l'ascensore accelerò la corsa, schizzò davanti al pianerottolo del marchese Venanzio senza fermarsi, e prima che Romoletto avesse il tempo di meravigliarsi tutta Roma giaceva ai suoi piedi e l'ascensore saliva alla velocità di un razzo verso un cielo tanto azzurro da sembrar nero.

– Ti saluto, marchese Venanzio, – mormorò Romoletto con un brivido. Con la mano sinistra egli reggeva sempre in equilibrio il vassoio con le consumazioni, e la cosa era piuttosto da ridere, considerando che intorno all'ascensore si allargava ormai ai quattro venti lo spazio interplanetario, e la terra, laggiú laggiú, in fondo all'abisso celeste, ruotava su se stessa trascinando nella sua corsa il marchese Venanzio che aspettava le quattro birre e il tè ghiacciato.

«Almeno non arriverò tra i marziani a mani vuote» pensò Romoletto, chiudendo gli occhi. Quando li riaperse, l'ascensore aveva ricominciato a scendere, e Romoletto tirò un respiro di sollievo:

– Dopo tutto, il tè arriverà ghiacciato ugualmente.

Purtroppo l'ascensore toccò terra nel cuore di una selvaggia foresta tropicale e Romoletto, guardando attraverso i vetri, si vide circondato da strane scimmie barbute che se lo indicavano eccitate, chiacchierando con straordinaria rapidità in una lingua incomprensibile. «Forse siamo cascati in Africa», rifletté Romoletto. Ma ecco che il cerchio delle scimmie si apriva per lasciar passare un personaggio inatteso: uno scimmione in divisa blu, montato su un enorme triciclo.

– Una guardia! Forza, Romoletto!

E senza contare né uno né due il giovane aiuto garzone del bar Italia schiacciò un bottone dell'ascensore, il primo che gli capitò sotto le dita. L'ascensore ripartí a velocità supersonica, e solo quando fu a una certa distanza Romoletto, guardando in basso, si rese conto che il pianeta dal quale stava fuggendo non poteva essere la Terra: i suoi continenti e i suoi mari avevano un disegno del tutto diverso, e mentre dallo spazio la Terra gli era apparsa di un bell'azzurro tenero, i colori di questo globo variavano dal verde al viola.

– Sarà stato Venere, – decise Romoletto, – ma al marchese Venanzio cosa dirò?

Toccò con le nocche delle dita i bicchieri sul vassoio: erano gelati come quando era uscito dal bar. Tutto sommato, non dovevano essere trascorsi che pochi minuti.

L'ascensore, dopo aver attraversato a velocità incredibile un enorme spazio deserto, riprese a scendere. Romoletto, stavolta, non poteva aver dubbi:

– Accipicchia! – esclamò, – stiamo atterrando sulla Luna. Che ci faccio io qui?

I famosi crateri lunari si avvicinavano rapidamente. Romoletto corse con le dita della mano libera dal vassoio alla bottoniera dell'ascensore, ma:

– Alt! – si ordinò, prima di schiacciare un bottone qualsiasi, – riflettiamo un momentino.

Esaminò la fila dei bottoni. L'ultimo in basso recava in rosso la lettera «T», che vuol dire terra.

– Proviamo! – sospirò Romoletto.

Schiacciò il bottone del pianterreno e l'ascensore invertí immediatamente la rotta. Pochi minuti dopo riattraversava il cielo di Roma, il tetto del numero centotre, la tromba delle scale, e atterrava accanto alla nota portineria, dove la portinaia, ignara di quel dramma interplanetario, continuava a sonnecchiare.

Romoletto si precipitò fuori, senza nemmeno voltarsi a richiudere la porta. Stavolta le scale le fece a piedi. Bussò all'interno quattordici e ascoltò a testa bassa, senza fiatare, le proteste del marchese Venanzio:

– Be', ma dove sei stato tutto questo tempo? Ma ce lo sai che da quando vi ho ordinato queste maledette birre e questo stramaledetto tè ghiacciato sono passati ben quattordici minuti? Al posto tuo Gagarin sarebbe già arrivato sulla Luna.

«Anche piú in là», pensò Romoletto, ma non aprí bocca. E per fortuna le bevande erano ancora ghiacciate a puntino.

Eh, ne deve fare di corse, in un giorno, l'aiuto garzone del bar Italia addetto ai servizi a domicilio...

Il filobus numero 75

Una mattina il filobus numero 75, in partenza da Monteverde Vecchio per Piazza Fiume, invece di scendere verso Trastevere, prese per il Gianicolo, svoltò giú per l'Aurelia Antica e dopo pochi minuti correva tra i prati fuori Roma come una lepre in vacanza.

I viaggiatori, a quell'ora, erano quasi tutti impiegati, e leggevano il giornale, anche quelli che non lo avevano comperato, perché lo leggevano sulla spalla del vicino. Un signore, nel voltar pagina, alzò gli occhi un momento, guardò fuori e si mise a gridare:

– Fattorino, che succede? Tradimento, tradimento!

Anche gli altri viaggiatori alzarono gli occhi dal giornale, e le proteste diventarono un coro tempestoso:

– Ma di qui si va a Civitavecchia!
– Che fa il conducente?
– È impazzito, legatelo!

– Che razza di servizio!

– Sono le nove meno dieci e alle nove in punto debbo essere in Tribunale, – gridò un avvocato, – se perdo il processo faccio causa all'azienda.

Il fattorino e il conducente tentavano di respingere l'assalto, dichiarando che non ne sapevano nulla, che il filobus non ubbidiva piú ai comandi e faceva di testa sua. Difatti in quel momento il filobus uscí addirittura di strada e andò a fermarsi sulle soglie di un boschetto fresco e profumato.

– Uh, i ciclamini, – esclamò una signora, tutta giuliva.

– È proprio il momento di pensare ai ciclamini, – ribatté l'avvocato.

– Non importa, – dichiarò la signora, – arriverò tardi al ministero, avrò una lavata di capo, ma tanto è lo stesso, e giacché ci sono mi voglio cavare la voglia dei ciclamini. Saranno dieci anni che non ne colgo.

Scese dal filobus, respirando a bocca spalancata l'aria di quello strano mattino, e si mise a fare un mazzetto di ciclamini.

Visto che il filobus non voleva saperne di ripartire, uno dopo l'altro i viaggiatori scesero a sgranchirsi le gambe o a fumare una sigaretta e intanto il loro malumore scompariva come la nebbia al sole. Uno coglieva una margherita e se la infilava all'occhiello,

l'altro scopriva una fragola acerba e gridava:
– L'ho trovata io. Ora ci metto il mio biglietto, e quando è matura la vengo a cogliere, e guai se non la trovo.

Difatti levò dal portafogli un biglietto da visita, lo infilò in uno stecchino e piantò lo stecchino accanto alla fragola. Sul biglietto c'era scritto: «Dottor Giulio Bollati».

Due impiegati del ministero dell'Istruzione appallottolarono i loro giornali e cominciarono una partita di calcio. E ogni volta che davano un calcio alla palla gridavano:
– Al diavolo!

Insomma, non parevano piú gli stessi impiegati che un momento prima volevano linciare i tranvieri. Questi, poi, si erano divisi una pagnottella col ripieno di frittata e facevano un picnic sull'erba.

– Attenzione! – gridò ad un tratto l'avvocato.

Il filobus, con uno scossone, stava ripartendo tutto solo, al piccolo trotto. Fecero appena in tempo a saltar su, e l'ultima fu la signora dei ciclamini che protestava: – Eh, ma allora non vale. Avevo appena cominciato a divertirmi.

– Che ora abbiamo fatto? – domandò qualcuno.

– Uh, chissà che tardi.

E tutti si guardarono il polso. Sorpresa: gli

orologi segnavano ancora le nove meno dieci. Si vede che per tutto il tempo della piccola scampagnata le lancette non avevano camminato. Era stato tempo regalato, un piccolo extra, come quando si compra una scatola di sapone in polvere e dentro c'è un giocattolo.

– Ma non può essere! – si meravigliava la signora dei ciclamini, mentre il filobus rientrava nel suo percorso e si gettava giú per via Dandolo.

Si meravigliavano tutti. E sí che avevano il giornale sotto gli occhi, e in cima al giornale la data era scritta ben chiara: 21 marzo. Il primo giorno di primavera tutto è possibile.

Il paese dei cani

C'era una volta uno strano piccolo paese. Era composto in tutto di novantanove casette, e ogni casetta aveva un giardinetto con un cancelletto, e dietro il cancelletto un cane che abbaiava.

Facciamo un esempio. Fido era il cane della casetta numero uno e ne proteggeva gelosamente gli abitanti, e per farlo a dovere abbaiava con impegno ogni volta che vedeva passare qualcuno degli abitanti delle altre novantotto casette, uomo, donna o bambino. Lo stesso facevano gli altri novantotto cani, e avevano un gran da fare ad abbaiare di giorno e di notte, perché c'era sempre qualcuno per la strada.

Facciamo un altro esempio. Il signore che abitava nella casetta numero 99, rientrando dal lavoro, doveva passare davanti a novantotto casette, dunque a novantotto cani che gli abbaiavano dietro mostrandogli le fauci e facendogli capire che avrebbero volentie-

ALTAN.

ri affondato le zanne nel fondo dei suoi pantaloni. Lo stesso capitava agli abitanti delle altre casette, e per la strada c'era sempre qualcuno spaventato.

Figurarsi se capitava un forestiero. Allora i novantanove cani abbaiavano tutti insieme, le novantanove massaie uscivano a vedere che succedeva, poi rientravano precipitosamente in casa, sprangavano la porta abbassavano in fretta gli avvolgibili e stavano zitte zitte dietro le finestre a spiare fin che il forestiero non era passato.

A forza di sentir abbaiare i cani gli abitanti di quel paese erano diventati tutti un po' sordi, e tra loro parlavano pochissimo. Del resto non avevano mai avuto grandi cose da dire e da ascoltare.

Pian piano, a starsene sempre zitti e immusoniti, disimpararono anche a parlare. E alla fine capitò che i padroni di casa si misero ad abbaiare come i loro cani. Loro forse credevano di parlare, ma quando aprivano bocca si udiva una specie di «bau bau» che faceva venire la pelle d'oca. E cosí, abbaiavano i cani, abbaiavano gli uomini e le donne, abbaiavano i bambini mentre giocavano, le novantanove villette sembravano diventate novantanove canili.

Però erano graziose, avevano tendine pulite dietro i vetri e perfino gerani e piantine grasse sui balconi.

Una volta capitò da quelle parti Giovannino Perdigiorno, durante uno dei suoi famosi viaggi. I novantanove cani lo accolsero con un concerto che avrebbe fatto diventare nervoso un paracarro. Domandò un'informazione a una donna ed essa gli rispose abbaiando. Fece un complimento a un bambino e ne ricevette in cambio un ululato.

– Ho capito, – concluse Giovannino, – è un'epidemia.

Si fece ricevere dal sindaco e gli disse: – Io un rimedio sicuro ce l'avrei. Primo, fate abbattere tutti i cancelletti, tanto i giardini cresceranno benissimo anche senza inferriate. Secondo, mandate i cani a caccia, si divertiranno di piú e diventeranno piú gentili. Terzo, fate una bella festa da ballo e dopo il primo valzer imparerete a parlare di nuovo.

Il sindaco gli rispose: – Bau! Bau!

– Ho capito, – disse Giovannino, – il peggior malato è quello che crede di essere sano.

E se ne andò per i fatti suoi.

Di notte, se sentite abbaiare molti cani insieme in lontananza, può darsi che siano dei cani cani, ma può anche darsi che siano gli abitanti di quello strano, piccolo paese.

La fuga di Pulcinella

Pulcinella era la marionetta piú irrequieta di tutto il vecchio teatrino. Aveva sempre da protestare, o perché all'ora della recita avrebbe preferito andare a spasso, o perché il burattinaio gli assegnava una parte buffa, mentre lui avrebbe preferito una parte drammatica.

– Un giorno o l'altro, – egli confidava ad Arlecchino, – taglio la corda. E cosí fece, ma non fu di giorno. Una notte egli riuscí a impadronirsi di un paio di forbici dimenticate dal burattinaio, tagliò uno dopo l'altro i fili che gli legavano la testa, le mani e i piedi, e propose ad Arlecchino:

– Vieni con me.

Arlecchino non voleva saperne di separarsi da Colombina, ma Pulcinella non aveva intenzione di portarsi dietro anche quella smorfiosa, che in teatro gli aveva giocato centomila tiri.

– Andrò da solo, – decise. Si gettò corag-

giosamente a terra e via, gambe in spalla.
«Che bellezza, – pensava correndo, – non sentirsi piú tirare da tutte le parti da quei maledetti fili. Che bellezza mettere il piede proprio nel punto dove si vuole».

Il mondo, per una marionetta solitaria, è grande e terribile, e abitato, specialmente di notte, da gatti feroci, pronti a scambiare qualsiasi cosa che fugge per un topo cui dare la caccia. Pulcinella riuscí a convincere i gatti che avevano a che fare con un vero artista, ma ad ogni buon conto si rifugiò in un giardino, si acquattò contro un muricciolo e si addormentò.

Allo spuntare del sole si destò e aveva fame. Ma intorno a lui, a perdita d'occhio, non c'erano che garofani, tulipani, zinnie e ortensie.

– Pazienza, – si disse Pulcinella e colto un garofano cominciò a mordicchiarne i petali con una certa diffidenza. Non era come mangiare una bistecca ai ferri o un filetto di pesce persico: i fiori hanno molto profumo e poco sapore. Ma a Pulcinella quello parve il sapore della libertà, e al secondo boccone era sicuro di non aver mai gustato cibo piú delizioso. Decise di rimanere per sempre in quel giardino, e cosí fece. Dormiva al riparo di una grande magnolia le cui dure foglie non temevano pioggia né grandine e si nutriva di fiori: oggi un garofano, domani una rosa. Pulcinella sognava montagne di spaghetti e pianure di mozzarella, ma non si arrendeva. Era diventato secco secco, ma cosí profumato che qualche volta le api si posavano su di lui per suggere il nettare, e si allontanavano deluse solo dopo aver tentato invano di affondare il pungiglione nella sua testa di legno.

Venne l'inverno, il giardino sfiorito aspettava la prima neve e la povera marionetta non aveva piú nulla da mangiare. Non dite che avrebbe potuto riprendere il viaggio: le sue povere gambe di legno non lo avrebbero portato lontano.

«Pazienza, – si disse Pulcinella, – morirò qui. Non è un brutto posto per morire. Inoltre, morirò libero: nessuno potrà piú legare un filo alla mia testa, per farmi dire di sí o di no».

La prima neve lo seppellí sotto una morbida coperta bianca.

In primavera, proprio in quel punto, crebbe un garofano. Sottoterra, calmo e felice, Pulcinella pensava: «Ecco, sulla mia testa è cresciuto un fiore. C'è qualcuno piú felice di me?»

Ma non era morto, perché le marionette di legno non possono morire. È ancora là sotto e nessuna lo sa. Se sarete voi a trovarlo,

non attaccategli un filo in testa: ai re e alle regine del teatrino quel filo non dà fastidio, ma lui non lo può proprio soffrire.

Il muratore della Valtellina

Un giovane della Valtellina, non trovando lavoro in patria, emigrò in Germania, e proprio a Berlino trovò un posto in un cantiere come muratore. Mario – cosí si chiamava il giovane – ne fu molto contento: lavorava sodo, mangiava poco, e quel che guadagnava lo metteva da parte per sposarsi.

Un giorno però, mentre si stavano gettando le fondamenta di un palazzo nuovo, un ponte crollò, Mario cadde nella gettata di cemento armato, morí, e non fu possibile recuperare il suo corpo.

Mario era morto, ma non sentiva alcun dolore. Era chiuso in uno dei pilastri della casa in costruzione, e ci stava un po' stretto, ma a parte questo pensava e sentiva come prima. Quando si fu abituato alla sua nuova situazione, poté perfino aprire gli occhi e guardare la casa che cresceva intorno a lui. Era proprio come se fosse lui a reggere il peso del nuovo edificio, e questo compensava la tristezza di non poter piú dare notizie di sé a casa, alla povera fidanzata.

Nascosto nel muro, nel cuore del muro, nessuno poteva vederlo o almeno sospettare che fosse lí, ma questo a Mario non importava.

La casa crebbe fino al tetto, furono collocate al loro posto porte e finestre, gli appartamenti vennero venduti e comperati, e popolati di mobili, e da ultimo ci vennero ad abitare numerose famiglie. Mario le conobbe tutte, dai grandi ai piccini. Quando i bambini zampettavano sul pavimento, studiando i loro primi passi, gli facevano il solletico alla mano. Quando le ragazze uscivano sui balconi o si affacciavano alle finestre per veder passare i loro innamorati, Mario sentiva contro la propria guancia il morbido fruscio dei loro capelli biondi. Di sera udiva i discorsi delle famiglie radunate intorno alla tavola, di notte i colpi di tosse degli ammalati, prima dell'alba il trillo della sveglia di un fornaio che era il primo ad alzarsi. La vita della casa era la vita di Mario, le gioie della casa, piano per piano, e i suoi dolori, stanza per stanza, erano le sue gioie e i suoi dolori.

Ed ecco che un giorno scoppiò la guerra. Cominciarono i bombardamenti su tutta la città e Mario sentí che anche per lui si avvicinava la fine. Una bomba colpí la casa e la fece crollare al suolo. Non rimase che un mucchio informe di macerie, di mobili infranti, di suppellettili schiacciate sotto cui dormivano per sempre donne e bambini sorpresi nel sonno.

Fu soltanto allora che Mario morí davvero, perché era morta la casa nata dal suo sacrificio.

La coperta del soldato

Il soldato Vincenzo Di Giacomo, alla fine di tutte le guerre, tornò a casa con una divisa lacera, una gran tosse e una coperta militare. La tosse e la coperta rappresentavano tutto il suo guadagno per quei lunghi anni di guerra.

– Ora mi riposerò, – disse ai suoi familiari. Ma la tosse non gli diede riposo, e in pochi mesi lo portò alla tomba. Alla moglie ed ai figli rimase solo la coperta per ricordo. I figli erano tre, e il piú piccolo, nato tra una guerra e l'altra, aveva cinque anni. La coperta del soldato toccò a lui. Quando vi si avvolgeva per dormire, la mamma gli narrava una lunga favola, e nella favola c'era una fata che tesseva una coperta grande abbastanza da coprire tutti i bambini del mondo che avevano freddo. Ma c'era sempre qualche bambino che restava fuori, e piangeva, e chiedeva invano un angolo di coperta per scaldarsi. Allora la fata doveva disfare tutta la coperta e ricominciare da capo a tesserla, per farla un po' piú grande, perché doveva essere una coperta di un solo pezzo, tessuta tutta in una volta, e non si potevano fare aggiunte. La buona fata lavorava giorno e notte a fare e disfare, e non si stancava mai, e il piccolo si addormentava sempre prima che la favola fosse finita, e non seppe mai come andava a finire.

Il piccolo si chiamava Gennaro, e quella famigliola abitava dalle parti di Cassino. L'inverno fu molto rigido, da mangiare non ce n'era, la madre di Gennaro si ammalò. Gennaro venne affidato a certi vicini, che erano girovaghi, e avevano un carrozzone, e viaggiavano per i paesi un po' chiedendo l'elemosina, un po' suonando la fisarmonica, un po' vendendo ceste di vimini che fabbricavano nelle soste lungo la strada. A Gennaro diedero una gabbia con un pappagallo che, col becco, toglieva da una cassettina un biglietto con i numeri da giocare al lotto. Gennaro doveva mostrare il pappagallo alla gente, e se gli davano qualche moneta faceva pescare un bigliettino al pappagallo. Le giornate erano lunghe e noiose, spesso si capitava in paesi dove la gente era povera e non aveva niente da dare in elemosina, e allora a Gennaro toccava una fetta di pane piú sottile, e una scodella di minestra piú vuota. Ma quando la notte calava Gennaro si avvolgeva nella coperta del babbo soldato, che era tutta la sua ricchezza, e nel suo odoroso tepore si addormentava sognando un pappagallo che gli raccontava una favola.

Uno dei girovaghi era stato soldato col padre di Gennaro, si affezionò al bambino, gli spiegava le cento cose che si incontravano lungo la strada e per divertimento gli insegnava a leggere i cartelli coi nomi dei paesi e delle città.

– Vedi? Quella è A. Quell'altro secco secco, che pare un bastone senza manico, è I. Quel bastone con la gobba è P.

Gennaro imparava presto. Il girovago gli comprò un quaderno e una matita e gli insegnava a ricopiare i cartelli stradali. Gennaro riempiva pagine e pagine col nome di ANCONA, o con quello di PESARO, e un giorno riuscí a scrivere da solo il proprio nome, lettera per lettera, senza un errore. Che bei sogni, quella notte, nella coperta del babbo soldato.

E che bella storia è questa, anche se non finisce e rimane lí, a mezz'aria, come un punto interrogativo senza risposta.

Il pozzo di Cascina Piana

A metà strada tra Saronno e Legnano, sulla riva di un grande bosco, c'era la Cascina Piana, che comprendeva in tutto tre cortili. Ci vivevano undici famiglie. A Cascina Piana c'era un solo pozzo per cavare l'acqua, ed era uno strano pozzo, perché la carrucola per avvolgervi la corda c'era, ma non c'era né corda né catena. Ognuna delle undici famiglie in casa, accanto al secchio, teneva appesa una corda, e chi andava ad attingere acqua la staccava, se l'avvolgeva al braccio e la portava al pozzo; e quando aveva fatto risalire il secchio staccava la corda dalla carrucola, e se la riportava gelosamente a casa. Un solo pozzo e undici corde. E se non ci credete, andate a informarvi e vi racconteranno, come hanno raccontato a me, che quelle undici famiglie non andavano d'accordo e si facevano continuamente dispetti, e piuttosto che comprare insieme una bella catena, e fissarla alla carrucola perché potesse servire per tutti, avrebbero riempito il pozzo di terra e di erbacce.

Scoppiò la guerra, e gli uomini della Cascina Piana andarono sotto le armi raccomandando alle loro donne tante cose, e anche di non farsi rubare le corde.

Poi ci fu l'invasione tedesca, gli uomini erano lontani, le donne avevano paura, ma le undici corde stavano sempre al sicuro nelle undici case.

Un giorno un bambino della cascina andò al bosco per raccogliere un fascio di legna e udí uscire un lamento da un cespuglio. Era un partigiano ferito a una gamba, e il bambino corse a chiamare sua madre. La donna era spaventata e si torceva le mani, ma poi disse: – Lo porteremo a casa e lo terremo nascosto. Speriamo che qualcuno aiuti il tuo babbo soldato, se ne ha bisogno. Noi non sappiamo nemmeno dove sia, e se è ancora vivo.

Nascosero il partigiano nel granaio e mandarono a chiamare il medico, dicendo che era per la vecchia nonna. Le altre donne della Cascina, però, avevano visto la nonna proprio quella mattina, sana come un galletto, e indovinarono che c'era sotto qualcosa. Prima che fossero passate ventiquattr'ore tutta la Cascina seppe che c'era un partigiano ferito in quel granaio, e qualche vecchio contadino disse: – Se lo sanno i tedeschi, verranno qui e ci ammazzeranno. Faremo tutti una brutta fine.

Ma le donne non ragionarono cosí. Pensavano ai loro uomini lontani, e pensavano che anche loro, forse, erano feriti e dovevano nascondersi, e sospiravano. Il terzo giorno, una donna prese un salamino del maiale che aveva appena fatto macellare, e lo portò alla Caterina, che era la donna che aveva nascosto il partigiano, e le disse: – Quel poveretto ha bisogno di rinforzarsi. Dategli questo salamino.

Dopo un po' arrivò un'altra donna con una bottiglia di vino, poi una terza con un sacchetto di farina gialla per la polenta, poi una quarta con un pezzo di lardo, e prima di sera tutte le donne della cascina erano state a casa della Caterina, e avevano visto il partigiano e gli avevano portato i loro regali, asciugandosi una lacrima.

E per tutto il tempo che la ferita impiegò a rimarginarsi, tutte le undici famiglie della Cascina trattarono il partigiano come se fosse un figlio loro, e non gli fecero mancare nulla.

Il partigiano guarí, uscí in cortile a prendere il sole, vide il pozzo senza corda e si meravigliò moltissimo. Le donne, arrossendo, gli spiegarono che ogni famiglia aveva la sua corda, ma non gli potevano dare una spiegazione soddisfacente. Avrebbero dovuto dirgli che erano nemiche tra loro, ma questo non era piú vero, perché avevano sofferto insieme, e insieme avevano aiutato il partigiano. Dunque non lo sapevano ancora, ma erano diventate amiche e sorelle, e non c'era piú ragione di tenere undici corde.

Allora decisero di comprare una catena, coi soldi di tutte le famiglie, e di attaccarla alla carrucola. E cosí fecero. E il partigiano cavò il primo secchio d'acqua, ed era come l'inaugurazione di un monumento.

La sera stessa il partigiano, completamente guarito, ripartí per la montagna.

Case e palazzi

Sono andato al ricovero dei vecchi a trovare un vecchio muratore. Erano tanti anni che non ci vedevamo.

– Hai viaggiato? – mi domanda.

– Eh, sono stato a Parigi.

– Parigi, eh? Ci sono stato anch'io, tanti anni fa. Costruivamo un bel palazzo proprio in riva alla Senna. Chissà chi ci abita. E poi dove sei stato?

– Sono stato in America.

– L'America, eh? Ci sono stato anch'io, tanti anni fa, chissà quanti. Sono stato a Nuova York, a Buenos Aires, a San Paulo, a Montevideo. Sempre a fare case e palazzi e a piantare bandiere sui tetti. E in Australia ci sei stato?

– No, ancora no.

– Eh, io ci sono stato sí. Ero giovane allora e non muravo ancora, portavo il secchio della calcina e passavo la sabbia al setaccio. Costruivamo una villa per un signore di là.

Un bravo signore. Ricordo che una volta mi domandò come si cucinavano gli spaghetti, e scriveva tutto quello che dicevo. E a Berlino ci sei stato?

– Non ancora.

– Eh, io ci sono stato prima che tu nascessi. Bei palazzi, che facevamo, belle case robuste. Chissà se sono ancora in piedi. E ad Algeri ci sei stato? Ci sei stato al Cairo, in Egitto?

– Ci voglio andare proprio quest'estate.

– Eh, vedrai belle case dappertutto. Non per dire, i miei muri sono sempre cresciuti ben diritti, e dai miei tetti non è mai entrata una goccia d'acqua.

– Ne avete costruite, di case...

– Eh qualcuna, non per dire, qua e là per il mondo.

– E voi?

– Eh, a far le case per gli altri sono rimasto senza casa io. Sto al ricovero, vedi? Cosí va il mondo.

Sí, cosí va il mondo, ma non è giusto.

Il maestro Garrone

Novità, novità: dappertutto novità.

La Befana quest'anno è arrivata a bordo di un razzo a diciassette stadi, e in ogni stadio c'era un armadio zeppo di doni, e davanti ad ogni armadio un robot elettronico con tutti gli indirizzi dei bambini. Non solo dei buoni, ma di tutti: perché bambini cattivi non ne esistono, e la Befana, finalmente, lo ha imparato.

Novità a Carnevale: il vecchio Pulcinella ha indossato una tuta spaziale, Gianduia lanciava coriandoli da uno *sputnik* d'argento, le Damine Rococò e la Fata Turchina seguivano il corteo mascherato in elicottero.

Novità a Pasqua. Rompiamo l'uovo di cioccolato e chi ne salta fuori? Sorpresa: un pulcino marziano, con un'antenna sul berretto. L'uovo era un uovo volante. (*Leggete tutta la storia del pulcino cosmico a pagina 195.*)

Novità da tutte le parti. Perché dunque il

maestro Garrone (nipote di quel bravo Garrone del libro *Cuore*) è tanto malinconico?

– Caro signor Gianni, – egli dice, – anche a me le novità fanno piacere. Che belle macchine ci sono nelle fabbriche, che belle astronavi in cielo. E anche il frigorifero, com'è bello. Ma la mia scuola, l'ha vista? È tale e quale come era ai tempi di mio nonno Garrone e dei suoi compagni: il Muratorino, De Rossi e Franti, quel cattivello. Di belle macchine, là dentro, neanche l'ombra. Gli stessi banchi graffiati e scomodi d'una volta. Vorrei che la mia scuola fosse bella come un bel televisore, come una bella automobile. Ma chi mi aiuta?

Il pianeta della verità

La pagina seguente è copiata da un libro di storia in uso nelle scuole del pianeta Mun, e parla di un grande scienziato di nome Brun (nota, lassú tutte le parole finiscono in «un»: per esempio non si dice «la luna» ma «lun lun»; «la polenta» si dice «lun polentun», eccetera). Ecco qua:

«*Brun*, inventore, vissuto duemila anni, attualmente conservato in un frigorifero, dal quale si risveglierà tra 49000 secoli per ricominciare a vivere. Era ancora un bambino in fasce quando inventò una *macchina per fare gli arcobaleni*, che funzionava ad acqua e sapone, ma invece che semplici bolle ne uscivano arcobaleni di tutte le misure, che si potevano distendere da un capo all'altro del cielo e servivano a molti usi, anche per appendervi il bucato ad asciugare. All'asilo infantile, giocando con due bastoncelli, inventò un *trapano per fare i buchi nell'acqua*. L'invenzione fu molto apprezzata dai pescatori, che l'usavano come passatempo quando il pesce non abboccava.

In prima elementare inventò: una *macchina per fare il solletico alle pere*, una *pentola per friggere il ghiaccio*, una *bilancia per pesare le nuvole*, un *telefono per parlare con i sassi,* il *martello musicale*, che mentre piantava i chiodi suonava bellissime sinfonie, eccetera.

Sarebbe troppo lungo ricordare tutte le sue invenzioni. Citiamo solo la piú famosa, cioè la *macchina per dire le bugie*, che funzionava a gettoni. Per ogni gettone si potevano ascoltare quattordicimila bugie. La macchina conteneva tutte le bugie del mondo: quelle che erano già state dette, quelle che la gente stava pensando in quel momento, e tutte le altre che si sarebbero potute inventare in seguito. Quando la macchina ebbe recitato tutte le bugie possibili, la gente fu costretta a dire sempre la verità. Per questo il pianeta Mun è detto anche *il pianeta della verità*».

Il marciapiede mobile

Sul pianeta Beh hanno inventato un marciapiede mobile che gira tutt'intorno alla città. Come la scala mobile, insomma: soltanto che non è una scala, ma un marciapiede, e si muove a piccola velocità, per dare alla gente il tempo di guardare le vetrine e per non far perdere l'equilibrio a quelli che debbono scendere e salire. Sul marciapiede ci sono anche delle panchine, per quelli che vogliono viaggiare seduti, specialmente vecchietti e signore con la sporta della spesa. I vecchietti, quando si sono stancati di stare ai giardini pubblici e di guardare sempre lo stesso albero, vanno a fare una crociera sui marciapiedi. Stanno comodi e beati. Chi legge il giornale, chi fuma il sigaro, si riposano.

Grazie all'invenzione di questo marciapiede sono stati aboliti i tram, i filobus e le automobili. La strada c'è ancora ma è vuota, e serve ai bambini per giocarci alla palla, e se un vigile urbano tenta di portargliela via, prende la multa.

Cucina spaziale

Un mio amico cosmonauta è stato sul pianeta X213, e mi ha portato per ricordo il menú di un ristorante di lassú. Ve lo ricopio tale e quale:

ANTIPASTI
– Ghiaia di fiume in salsa di tappi
– Crostini di carta asciugante
– Affettato di carbone

MINESTRE
– Rose in brodo
– Garofani asciutti al sugo d'inchiostro
– Gambe di tavolini al forno
– Tagliatelle di marmo rosa al burro
  di lampadine tritate
– Gnocchi di piombo

PIATTI PRONTI
– Bistecca di cemento armato
– Tristecca ai ferri

– Tristezze alla griglia
– Arrosto di mattoni con insalata di tegole
– Do di petto di tacchino
– Copertoni d'automobile bolliti
  con pistoni
– Rubinetti fritti (caldi e freddi)
– Tasti di macchina da scrivere (in versi e in
  prosa)

PIATTI DA FARSI
– A piacere

Per spiegare quest'ultima espressione, un po' generica, aggiungerò che il pianeta X213, a quanto pare, è interamente commestibile: ogni cosa, lassú, può essere mangiata e digerita, anche l'asfalto della strada. Anche le montagne? Anche quelle. Gli abitanti di X213 hanno già divorato intere catene alpine.

Uno, per esempio, fa una gita in bicicletta: gli viene fame, smonta e mangia la sella, o la pompa. I bambini sono ghiottissimi di campanelli.

La prima colazione si fa cosí: suona la sveglia, tu ti svegli, acchiappi la sveglia e la mangi in due bocconi.

La caramella istruttiva

Sul pianeta Bih non ci sono libri. La scienza si vende e si consuma in bottiglie.

La storia è un liquido rosso che sembra granatina, la geografia un liquido verde menta, la grammatica è incolore e ha il sapore dell'acqua minerale. Non ci sono scuole, si studia a casa. Ogni mattina i bambini, secondo l'età, debbono mandar giú un bicchiere di storia, qualche cucchiaiata di aritmetica e cosí via.

Ci credereste? Fanno i capricci lo stesso.

– Su, da bravo, – dice la mamma, – non sai quanto è buona la zoologia. È dolce, dolcissima. Domandalo alla Carolina – (che è il robot elettronico di servizio).

La Carolina, generosamente, si offre di assaggiare per prima il contenuto della bottiglia. Se ne versa un dito nel bicchiere, lo beve, fa schioccare la lingua:

– Uh, se è buona, – esclama, e subito comincia a recitare la zoologia: «La mucca è un quadrupede ruminante, si nutre di erba e ci dà il latte con la cioccolata».

– Hai visto? – domanda la mamma trionfante.

Lo scolaretto nicchia. Sospetta ancora che non si tratti di zoologia, ma di olio di fegato di merluzzo. Poi si rassegna, chiude gli occhi e trangugia la sua lezione tutta in una volta. Applausi.

Ci sono, si capisce, anche scolaretti diligenti e studiosi: anzi, golosi. Si alzano di notte a rubare la storia-granatina, e leccano fin l'ultima goccia dal bicchiere. Diventano sapientissimi.

Per i bambini dell'asilo ci sono delle caramelle istruttive: hanno il gusto della fragola, dell'ananas, del ratafià, e contengono alcune facili poesie, i nomi dei giorni della settimana, la numerazione fino a dieci.

Un mio amico cosmonauta mi ha portato per ricordo una di quelle caramelle. L'ho data alla mia bambina, ed essa ha cominciato subito a recitare una buffa filastrocca nella lingua del pianeta Bih, che diceva pressappoco:

anta anta pero pero
penta pinta pim però,

e io non ci ho capito niente.

Il pulcino cosmico

L'anno scorso a Pasqua, in casa del professor Tibolla, dall'uovo di cioccolata sapete cosa saltò fuori? Sorpresa: un pulcino cosmico, simile in tutto ai pulcini terrestri, ma con un berretto da capitano in testa e un'antenna della televisione sul berretto.

Il professore, la signora Luisa e i bambini fecero tutti insieme: «Oh», e dopo questo oh non trovarono piú parole.

Il pulcino si guardava intorno con aria malcontenta.

– Come siete indietro su questo pianeta, – osservò, – qui è appena Pasqua; da noi, su Marte Ottavo, è già mercoledí.

– Di questo mese? – domandò il professor Tibolla.

– Ci mancherebbe! Mercoledí del mese venturo. Ma con gli anni siamo avanti di venticinque.

Il pulcino cosmico fece quattro passi in su e in giú per sgranchirsi le gambe, e borbottava: – Che seccatura! Che brutta seccatura.

– Cos'è che la preoccupa? – domandò la signora Luisa.

– Avete rotto l'uovo volante e io non potrò tornare su Marte Ottavo.

– Ma noi l'uovo l'abbiamo comprato in pasticceria.

– Voi non sapete niente. Questo uovo, in realtà, è una nave spaziale, travestita da uovo di Pasqua, e io sono il suo comandante, travestito da pulcino.

– E l'equipaggio?

– Sono io anche l'equipaggio. Ma ora sarò degradato. Mi faranno per lo meno colonnello.

– Be', colonnello è piú che capitano.

– Da voi, perché avete i gradi alla rovescia. Da noi il grado piú alto è cittadino semplice. Ma lasciamo perdere. La mia missione è fallita.

– Potremmo dirle che ci dispiace, ma non sappiamo di che missione si trattava.

– Ah, non lo so nemmeno io. Io dovevo soltanto aspettare in quella vetrina fin che il nostro agente segreto si fosse fatto vivo.

– Interessante, – disse il professore, – avete anche degli agenti segreti sulla Terra. E se andassimo a raccontarlo alla polizia?

– Ma sí, andate in giro a parlare di un pulcino cosmico, e vi farete ridere dietro.

ALTAN.

– Giusto anche questo. Allora, giacché siamo tra noi, ci dica qualcosa di piú su quegli agenti segreti.

– Essi sono incaricati di individuare i terrestri che sbarcheranno su Marte Ottavo tra venticinque anni.

– È piuttosto buffo. Noi, per adesso, non sappiamo nemmeno dove si trovi Marte Ottavo.

– Lei dimentica, caro professore, che lassú siamo avanti col tempo di venticinque anni. Per esempio sappiamo già che il capitano dell'astronave terrestre che giungerà su Marte Ottavo si chiamerà Gino.

– Toh, – disse il figlio maggiore del professor Tibolla, – proprio come me.

– Pura coincidenza, – sentenziò il cosmopulcino. – Si chiamerà Gino e avrà trentatre anni. Dunque, in questo momento, sulla Terra, ha esattamente otto anni.

– Guarda guarda, – disse Gino, – proprio la mia età.

– Non mi interrompere continuamente, – esclamò con severità il comandante dell'uovo spaziale. – Come stavo spiegandovi, noi dobbiamo trovare questo Gino e gli altri membri dell'equipaggio futuro, per sorvegliarli, senza che se ne accorgano, e per educarli come si deve.

– Cosa, cosa? – fece il professore. – Forse

noi non li educhiamo bene i nostri bambini?

– Mica tanto. Primo, non li abituate all'idea che dovranno viaggiare tra le stelle; secondo, non insegnate loro che sono cittadini dell'universo; terzo, non insegnate loro che la parola nemico, fuori della Terra, non esiste; quarto...

– Scusi comandante, – lo interruppe la signora Luisa, – come si chiama di cognome quel vostro Gino?

– Prego, *vostro*, non nostro. Si chiama Tibolla. Gino Tibolla.

– Ma sono *io*! – saltò su il figlio del professore. – Urrà!

– Urrà che cosa? – esclamò la signora Luisa. – Non crederai che tuo padre e io ti permetteremo...

Ma il pulcino cosmico era già volato in braccio a Gino.

– Urrà! Missione compiuta! Tra venticinque anni potrò tornare a casa anch'io.

– E l'uovo? – domandò con un sospiro la sorellina di Gino.

– Ma lo mangiamo subito, naturalmente.

E cosí fu fatto.

Processo al nipote

GIUDICE Imputato, alzatevi! Come vi chiamate?

IMPUTATO Rossi Alberto, nipote di Rossi Pio.

GIUDICE Conosco il signor Rossi Pio: ottima persona sotto tutti i punti di vista. Di che cosa siete accusato?

PUBBLICO MINISTERO Per l'appunto, signor Giudice, l'imputato è accusato di avere gravemente offeso suo zio. Si figuri che in un tema in classe ha scritto: «Lo zio è il padre dei vizi»!

LO ZIO Capisce? E non sono nemmeno sposato!

PUBBLICO MINISTERO I testimoni sono tutti concordi: il signor zio è un modello di virtú. Non beve, non fuma, non esce la sera, non gioca al totocalcio, non consuma i tacchi delle scarpe, non si asciuga i piedi nell'asciugamano delle mani, non prende il sale con le dita, non si mette le dita nel naso, non ficca il naso negli affari altrui.

GIUDICE È vero tutto questo? Imputato, rispondete.

IMPUTATO È verissimo, signor Giudice.

GIUDICE E voi avete osato calunniare vostro zio? Avete osato scrivere nel vostro tema che questo cittadino esemplare è, nientemeno, il padre dell'invidia, dell'avarizia, della gola, dell'ira, e chissà di quali altri terribili e viziosissimi teddy-boy?

IMPUTATO Ma signor Giudice, è stata tutta colpa di un apostrofo.

GIUDICE Quale apostrofo? Io qui non vedo apostrofi.

IMPUTATO Appunto. Si tratta di un apostrofo mancante.

GIUDICE Capisco, si è dato alla macchia. Diventerà un bandito da strada.

AVVOCATO DIFENSORE Signor Giudice, l'imputato Rossi Alberto aveva intenzione di scrivere: «l'ozio è il padre dei vizi». Ma l'apostrofo, forse consigliato dai cattivi compagni, è fuggito dalla penna.

LO ZIO Sí, signor Giudice, sono convinto anch'io che mio nipote, in fondo, è un bravo ragazzo.

GIUDICE Un bravo ragazzo? Dica piuttosto che si merita la galera.

LO ZIO Capisco, signor Giudice. Ma mi

dispiacerebbe molto vederlo finire dentro. Vede, avevo fatto dei progetti sul suo conto. Io sono titolare di un avviato negozio di elettrodomestici. Vendo a rate, faccio ottimi sconti alla clientela.

GIUDICE Lasciamo perdere gli elettrodomestici.

LO ZIO Ecco, io avevo intenzione di assumere mio nipote in qualità di commesso, appena finite le scuole. Io non ho figli miei: se non aiuto Albertino, chi dovrei aiutare?

GIUDICE (*commosso*) Lei è proprio una persona di buon cuore. Faremo come dice lei. Imputato, avete sentito?

IMPUTATO Sí, signor Giudice.

GIUDICE Cercherete di rintracciare l'apostrofo fuggitivo e di convincerlo a rientrare anche lui sulla retta via?

IMPUTATO Lo prometto, signor Giudice.

GIUDICE Va bene: per questa volta siete perdonato.

(Zio e nipote si abbracciano. Anzi: *s'abbracciano*, con l'apostrofo.)

A sbagliare le storie

– C'era una volta una bambina che si chiamava Cappuccetto Giallo.

– No, Rosso!

– Ah, sí, Cappuccetto Rosso. La sua mamma la chiamò e le disse: Senti, Cappuccetto Verde...

– Ma no, Rosso!

– Ah, sí, Rosso. Vai dalla zia Diomira a portarle questa buccia di patata.

– No: vai dalla nonna a portarle questa focaccia.

– Va bene. La bambina andò nel bosco e incontrò una giraffa.

– Che confusione! Incontrò un lupo, non una giraffa.

– E il lupo le domandò: «Quanto fa sei per otto?»

– Niente affatto. Il lupo le chiese: «Dove vai?»

– Hai ragione. E Cappuccetto Nero rispose...

– Era Cappuccetto Rosso, rosso, rosso!

– Sí, e rispose: «Vado al mercato a comperare la salsa di pomodoro».

– Neanche per sogno: «Vado dalla nonna che è malata, ma non so piú la strada».

– Giusto. E il cavallo disse...

– Quale cavallo? Era un lupo.

– Sicuro. E disse cosí: «Prendi il tram numero settantacinque, scendi in piazza del Duomo, gira a destra, troverai tre scalini e un soldo per terra, lascia stare i tre scalini, raccatta il soldo e comprati una gomma da masticare».

– Nonno, tu non sai proprio raccontare le storie, le sbagli tutte. Però la gomma da masticare me la comperi lo stesso.

– Va bene: eccoti il soldo.

E il nonno tornò a leggere il suo giornale.

Promosso piú due

– Aiuto, aiuto, – grida fuggendo un povero Dieci.

– Che c'è? Che ti succede?

– Ma non vedete? Sono inseguito da una Sottrazione. Se mi raggiunge sarà un disastro.

– Eh, via, addirittura un disastro...

Ecco, è fatta: la Sottrazione ha acchiappato il Dieci, gli balza addosso menando fendenti con la sua spada affilatissima. Il povero Dieci perde un dito, ne perde un altro. Per sua fortuna passa una macchina straniera lunga cosí, la Sottrazione si volta un momento a guardare se è il caso di accorciarla e il buon Dieci può svignarsela, scomparire in un portone. Ma intanto non è piú un Dieci: è soltanto un Otto, e per giunta perde sangue dal naso.

– Poverino, che ti hanno fatto? Ti sei picchiato coi tuoi compagni, vero?

Misericordia, si salvi chi può: la vocina è

dolce e compassionevole, ma la sua proprietaria è la Divisione in persona. Lo sventurato Otto bisbiglia «buonasera», con un filo di voce, e cerca di riguadagnare la strada, ma la Divisione è piú svelta, e con un solo colpo di forbici, *zac*, ne fa due pezzi: Quattro e Quattro. Uno se lo mette in tasca, l'altro ne approfitta per scappare, torna in strada di corsa, salta su un tram.

– Un momento fa ero un Dieci, – piange, – e adesso guardate qua! Un Quattro! Gli scolari si scansano frettolosamente, non vogliono avere niente a che fare con lui. Il tranviere borbotta: – Certa gente dovrebbe almeno avere il buon senso di andare a piedi.

– Ma non è colpa mia! – grida tra i singhiozzi l'ex Dieci.

– Sí, è colpa del gatto. Dicono tutti cosí.

Il Quattro scende alla prima fermata, rosso come una poltrona rossa.

Ahi, ne ha fatta un'altra delle sue: ha schiacciato i piedi a qualcuno.

– Scusi, scusi tanto, signora!

Ma la Signora non si è arrabbiata, anzi, sorride. Guarda, guarda, guarda, è nientemeno che la Moltiplicazione! Ha un cuore grosso cosí, lei, e non può sopportare la vista delle persone infelici: seduta stante moltiplica il Quattro per tre, ed ecco un magnifico Dodici, pronto per contare un'intera dozzina d'uova.

– Evviva, – grida il Dodici, – sono promosso! Promosso piú due.

L'omino di niente

C'era una volta un omino di niente. Aveva il naso di niente, la bocca di niente, era vestito di niente e calzava scarpe di niente. Si mise in viaggio su una strada di niente che non andava in nessun posto. Incontrò un topo di niente e gli domandò: – Non hai paura del gatto?

– No davvero, – rispose il topo di niente, – in questo paese di niente ci sono soltanto gatti di niente, che hanno baffi di niente e artigli di niente. Inoltre, io rispetto il formaggio. Mangio solo i buchi. Non sanno di niente ma sono dolci.

– Mi gira la testa, – disse l'omino di niente.

– È una testa di niente: anche se la batti contro il muro non ti farà male.

L'omino di niente, volendo fare la prova, cercò un muro per batterci la testa, ma era un muro di niente, e siccome lui aveva preso troppo slancio cascò dall'altra parte. Anche di là non c'era niente di niente.

L'omino di niente era tanto stanco di tutto quel niente che si addormentò. E mentre dormiva sognò che era un omino di niente, e andava su una strada di niente, e incontrava un topo di niente e mangiava anche lui i buchi del formaggio, e il topo di niente aveva ragione: non sapevano proprio di niente.

Storia Universale

In principio la Terra era tutta sbagliata, renderla piú abitabile fu una bella faticata. Per passare i fiumi non c'erano ponti. Non c'erano sentieri per salire sui monti. Ti volevi sedere? Neanche l'ombra di un panchetto. Cascavi dal sonno? Non esisteva il letto. Per non pungersi i piedi, né scarpe né stivali. Se ci vedevi poco non trovavi gli occhiali. Per fare una partita non c'erano palloni: mancava la pentola e il fuoco per cuocere i maccheroni, anzi a guardare bene mancava anche la pasta. Non c'era nulla di niente. Zero via zero, e basta. C'erano solo gli uomini, con due braccia per lavorare, e agli errori piú grossi si poté rimediare. Da correggere, però, ne restano ancora tanti: rimboccatevi le maniche, c'è lavoro per tutti quanti!

Indice

Favole al telefono

Einaudi Ragazzi

Storie e rime

1 Mario Lodi, *Bandiera*
2 Mario Lodi e i suoi ragazzi, *Cipí*
4 Mario Rigoni Stern, *Il libro degli animali*
5 Leo Lionni, *Le favole di Federico*
7 Gianni Rodari, *Prime fiabe e filastrocche*
8 Roberto Denti, *Orchi Balli Incantesimi*
9 Gianni Rodari, *La torta in cielo*
13 B. Munari / E. Agostinelli, *Cappuccetto Rosso Verde Giallo Blu e Bianco*
14 Gianni Rodari, *Favole al telefono*
16 Jean de La Fontaine, *Favole*
17 Gianni Rodari, *Il libro degli errori*
19 Mario Lodi, *Bambini e cannoni*
20 Gianni Rodari, *La gondola fantasma*
24 Gianni Rodari, *Fiabe e Fantafiabe*
25 Francesco Altan, *Kamillo Kromo*
28 *La storia di Pik Badaluk*
32 Gianni Rodari, *Gli affari del signor Gatto - Storie e rime feline*
33 *Favole di Esopo*
34 Gianni Rodari, *Novelle fatte a macchina*
35 Pinin Carpi, *C'è gatto e gatto*
36 Jill Barklem, *Il mondo di Boscodirovo*
37 Helme Heine, *Il libro degli Amici Amici*
38 Gianni Rodari, *Storie di Marco e Mirko*
39 Gianni Rodari, *Le favolette di Alice*
42 Luigi Grossi, *La vecchina piccina piccina picciò*
44 Gianni Rodari, *Zoo di storie e versi*
45 Bianca Pitzorno, *L'incredibile storia di Lavinia*

106 Daniel Pennac, *Kamo - L'agenzia Babele*
107 Christine Nöstlinger, *Come due gocce d'acqua*
109 Jackie Niebisch, *Il collegio dei vampiretti - Il finto vampiro*
111 Mino Milani, *La storia di Ulisse e Argo*
112 Lella Gandini, *Ninnenanne e tiritere*
113 Christine Nöstlinger, *Mamma e papà, me ne vado*
114 Nicoletta Costa, *Storie di Margherita*
115 Pinin Carpi, *Il mare in fondo al bosco*
116 Ian McEwan, *L'inventore di sogni*
117 *Storie di papà*
118 L. Gandini / R. Piumini, *Fiabe venete*
119 Beatrice Solinas Donghi, *Il fantasma del villino*
124 Mino Milani, *La storia di Orfeo ed Euridice*
125 Jackie Niebisch, *Il collegio dei vampiretti - Il concorso mostruoso*
126 Daniel Pennac, *L'evasione di Kamo*
127 S. Bordiglioni / M. Badocco, *Dal diario di una bambina troppo occupata*
128 Erwin Moser, *Minuscolo*
129 Roberto Piumini, *La leggenda di Gagliaudo*
130 Susie Morgenstern, *Prima media!*
131 N. Caputo / S.C. Bryant, *Storie e storielle*
132 Sabina Colloredo, *Il bosco racconta*
133 Roberto Piumini, *L'oro del Canoteque*
134 Christine Nöstlinger, *Anch'io ho un papà*
135 Stefano Bordiglioni, *Non dirlo al coccodrillo - Gli animali nel mondo dei bambini*
136 Luciano Comida, *Viviana Gions e le Quattro Tonsille*
137 Roberto Piumini, *La casa arancione*
139 Pinin Carpi, *La regina delle fate*
140 Erwin Moser, *Manuel e Didi - Avventure d'inverno*
141 Stefano Bordiglioni, *Scuolaforesta*
142 G. Quarzo / A. Vivarelli, *Amico di un altro pianeta*
144 Antonella Ossorio, *Quando il gatto non c'è i topi ballano*
145 Angela Nanetti, *Ofelia, vacci piano!*
146 Mario Rigoni Stern, *Il sergente nella neve*
147 Christine Nöstlinger, *La famiglia cercaguai*
148 Daniel Pennac, *Io e Kamo*
150 Oscar Wilde, *Il fantasma di Canterville*
152 Mino Milani, *La storia di Enrico VIII e delle sue sei mogli*

153 *Con la pioggia e con il sole - Poesie e filastrocche per chi le vuole*
154 S. Bordiglioni / C. Arrighetti, *Sebastiano e i sogni*
156 Isaac Bashevis Singer, *Una notte di Hanukkah*
157 *Storie per tutte le stagioni*
158 Roberto Piumini, *Giulietta e Romeo*
159 Stefano Bordiglioni, *Scherzi. Istruzioni per l'uso - 52 modi per cacciarsi nei guai*
160 Anne Fine, *Il diario di Jennifer*
161 Daniel Pennac, *Kamo - L'idea del secolo*
162 Erwin Moser, *Manuel e Didi - Avventure di primavera*
163 Roberto Piumini, *Tutta una scivolanda*
164 Rudyard Kipling, *Rikki-tikki-tavi*
165 Luciano Comida, *Un pacco postale di nome Michele Crismani*
166 Roberto Piumini, *Tre sorrisi per Paride*
167 Klaus-Peter Wolf, *Piero e Pierino*
168 Walter de la Mare, *Il Re Pesce*
169 *Do re mi fa - Poesie e filastrocche a volontà*
170 Stefano Bordiglioni, *Guerra alla Grande Melanzana*
171 Wilhelm Hauff, *Piccolo Nasolungo*
172 Angela Nanetti, *Angeli*
173 Erwin Moser, *Manuel e Didi - Avventure d'autunno*
174 L. Gandini / R. Piumini, *Fiabe del Lazio*
175 Sarah Orne Jewett, *L'airone bianco*
176 Sabina Colloredo, *Un'estate senza estate*
177 Luciano Comida, *Michele Crismani vola a Bitritto*
178 Klaus-Peter Wolf, *Piero e Pierino innamorati cotti*
179 J.J. Sempé / R. Goscinny, *Le vacanze di Nicola*
180 Hans M. Enzensberger, *Il mago dei numeri*
181 Louis Pergaud, *La guerra dei bottoni*
182 Bernard Clavel, *Il castello di carta*
183 S. Bordiglioni / R. Aglietti, *Teseo e il mostro del labirinto*
184 Nico Orengo, *L'allodola e il cinghiale*
185 Sebastiano Ruiz Mignone, *Il Cavalier Vampiro*
186 Eleanor Farjeon, *Elsie Piddock salta nel sonno*
187 Michel Lucet, *Una trappola in bocca ovvero le avventure di Cristina Boccaspina e del suo apparecchio dentale*
188 Erwin Moser, *Manuel e Didi - Avventure d'estate*
189 Marie-Hélène Delval, *Gatti*

190 Beatrice Masini, *Olga in punta di piedi*
191 Jutta Richter, *Annabella Ciglialunghe*
192 Daniel De Foe, *Robinson Crusoe*
193 Susie Morgenstern, *Burro d'arachidi a colazione*
194 Uwe Timm, *Mimmo Codino maialino corridore*
195 Donatella Bindi Mondaini, *La casa dei cento orologi*
196 Oscar Wilde, *Il compleanno dell'Infanta*
197 Bianca Pitzorno, *Extraterrestre alla pari*
198 Guido Quarzo, *Il viaggio dell'Orca Zoppa*
199 Wilhelm Hauff, *La storia del Califfo Cicogna*
200 Sigrid Heuck, *Storie sotto il melo*
201 Hans Christian Andersen, *C'era una volta, tanto tempo fa*
202 Donatella Bindi Mondaini, *Il brigante e Margherita*
203 Michel Lucet, *Spaccato in due*
204 Oscar Wilde, *Il figlio delle stelle*
205 Luciano Malmusi, *Triceratopino nella valle dei dinosauri*
206 Harry Horse, *Gli ultimi orsi polari*
207 Angela Nanetti, *L'uomo che coltivava le comete*
208 Anne Fine, *Io e il mio amico*
209 Oscar Wilde, *Il Gigante egoista*
210 Roberto Piumini, *C'era una volta, ascolta*
211 Lev Tolstoj, *Filipok*
212 Edgar Allan Poe, *Il gatto nero e altri racconti*
213 Angela Nanetti, *P come prima (media) - G come Giorgina (Pozzi)*
214 Roswitha Fröhlich, *La piccola fantasma*
215 Sigrid Heuck, *Pony, Orso e la stella piú bella*
216 Alan Jolis, *La strega Pienadira e la risata che uccide*
217 Edgar Allan Poe, *Lo scarabeo d'oro*
218 Angela Nanetti, *Gli occhi del mare*
219 Sylvie Fournout, *A come Amleto, B come Bice*
220 Bernard Clavel, *Storie di cani*
221 *Faccia a faccia col fantasma*, a cura di Cornelia Buchinger
222 Mark Twain, *Le avventure di Tom Sawyer*
223 Angela Nanetti, *Veronica, ovvero «i gatti sono talmente imprebedibili»*
224 Gudrun Pausewang, *Basilio, vampiro vegetariano*
225 Nikolaj Gogol, *Il naso*
226 *Storie di fantasmi*

Finito di stampare per conto delle Edizioni EL
presso Editoriale Lloyd S.r.l., San Dorligo della Valle (Ts)

Ristampa				Anno		
16	17	18	19	2005	2006	2007